アバターと共生する未来社会

FUTURE SOCIETY IN HARMONY WITH AVATARS

石黒 浩
HIROSHI ISHIGURO

集英社

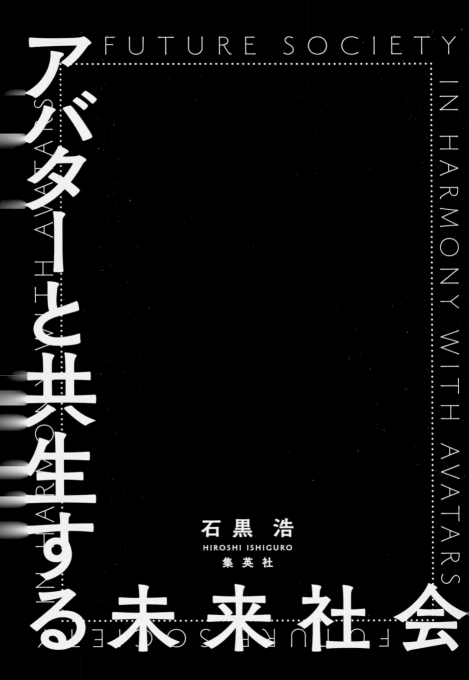

著者の研究の軌跡

自分そっくりのジェミノイドを創造

①ジェミノイド HI-6と著者

HIシリーズは著者自身をモデルに制作されたジェミノイドで、研究者が自分と同じ姿を持つアンドロイドを作ったのは世界初である。ジェミノイドは遠隔操作によって対話ができるだけでなく、あらかじめ用意した講演などの原稿を自動（自律式）で読み上げることもできる。HI-6は著者以上に優れた表現力（対話における手の振る舞いなど）を持ち、著者は時折、講演などでHI-6を使用している。©国際電気通信基礎技術研究所（ATR）、大阪大学

②ジェミノイド HI-4

HIシリーズの4代目。このジェミノイドの特徴は、頭部、上半身、下半身に分解可能で、飛行機の手荷物として簡単に運べること。ジェミノイドHI-4は、講演者や石黒研究室のスタッフと共に世界中を巡って講演をしている。その技術をベースに、タレントのマツコ・デラックス、夏目漱石といった著名人をモデルにしたアンドロイドも制作された。©国際電気通信基礎技術研究所（ATR）、大阪大学

情報量を抑えて人間の想像力を喚起させるロボット

③ Telenoid（テレノイド）

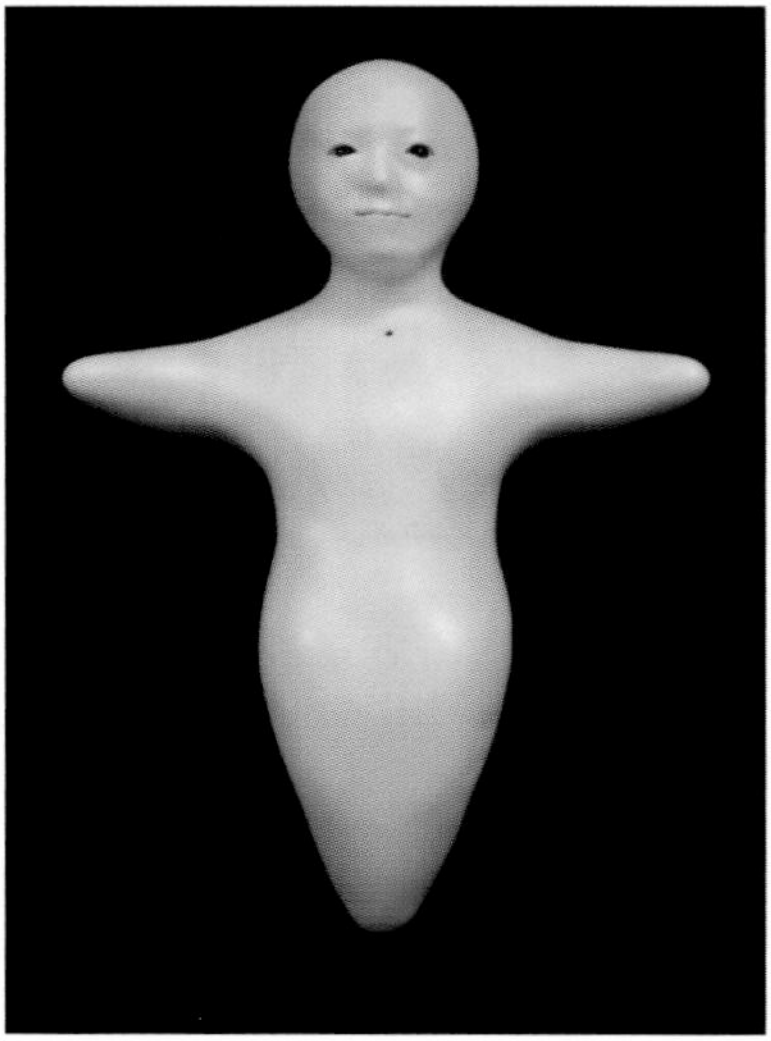

人間を感じさせる情報量を限りなく抑えた、ミニマルデザインの遠隔操作型ロボット。性別や年齢を感じさせず、見かけから個性を感じないために、対話相手はストレスなく関わることができる。特に高齢者や子どもはテレノイドとの対話を好む傾向が強い。写真の「テレノイド」（全長70cm程度）のほかに「Elfoid（エルフォイド）」（全長20cm程度）を開発。©国際電気通信基礎技術研究所（ATR）、大阪大学

④ Hugvie（ハグビー）

人の存在感を感じさせる最も単純なロボット。ロボットというよりもいわゆる抱き枕で、頭の部分に携帯電話を差し込んで相手と話す。普通の携帯電話での通話とは異なり、相手を抱いて話しているかのような感覚が得られ、対話相手の存在を非常に身近に感じられる。©国際電気通信基礎技術研究所（ATR）、大阪大学

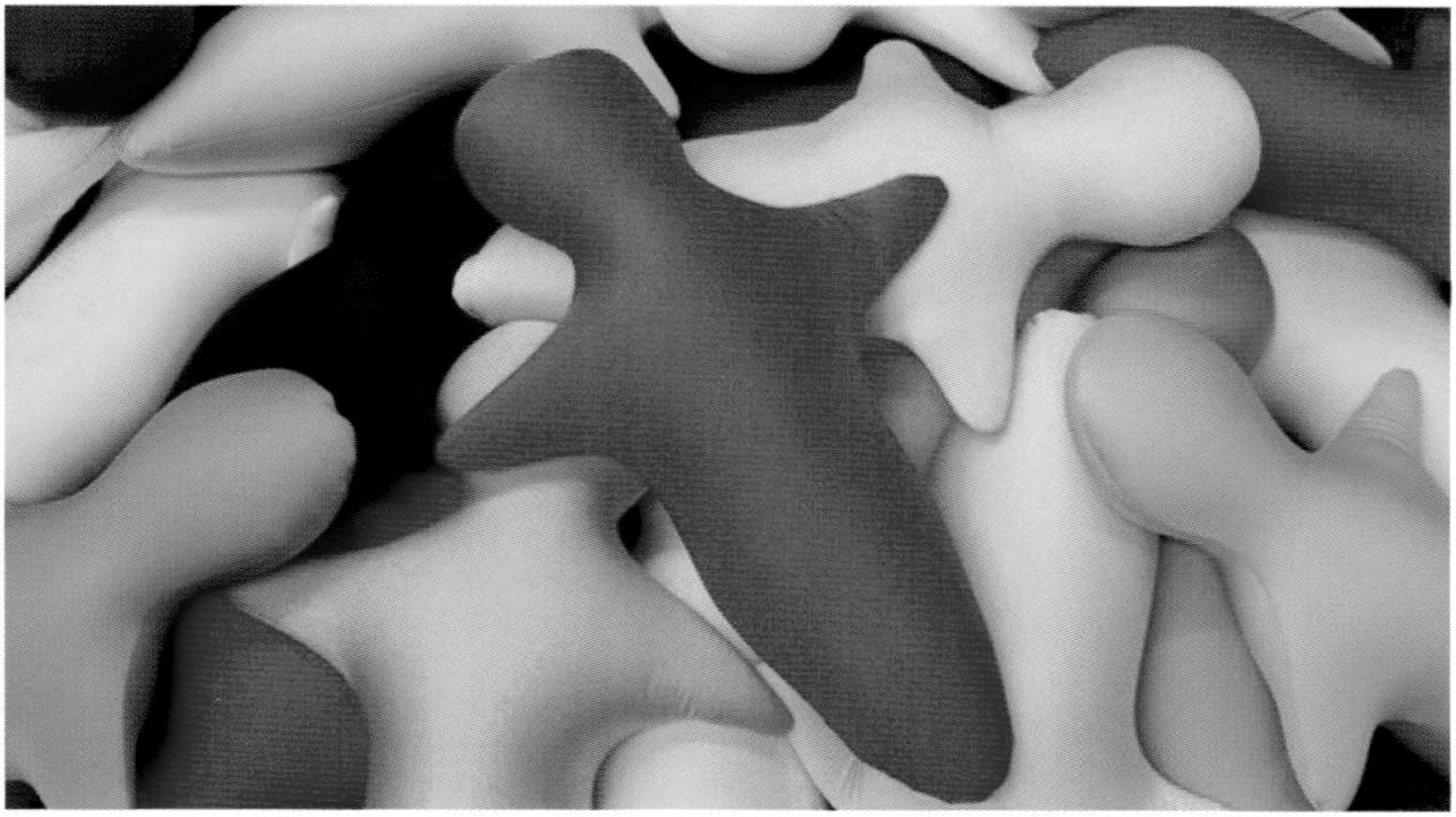

自律対話型アンドロイド、ERICAの誕生

⑤ ERICA（エリカ）

JST ERATO石黒共生ヒューマンロボットインタラクションプロジェクトで開発した、自律対話型アンドロイド。多数のカメラやマイクロフォンを用いて、目の前にいる人の動作や表情を認識しながら、自律的に対話ができる。ERICAは2015年から国際電気通信技術研究所（ATR）のロビーで初対面の人と日常的な会話をするなど、実用化されている。見かけ、動きなどの人間らしさの要素を考慮すれば、世界で最も人間らしいアンドロイドと言えるのではないかと著者は自負している。©国際電気通信基礎技術研究所（ATR）、大阪大学、Photo by Kurima Sakai

アバターを用いた実証実験と実用例

⑥神戸空港でのアバターを用いた実証実験

大阪大学とサイバーエージェントの共同研究として行われた実証実験。神戸空港の売店で、高さ約30cmの卓上型アバターSota(ソータ)が販売促進に取り組んだ。Sotaは、カメラで人の接近を検知し、自律的にあいさつや自己紹介など、呼びかけや返答を行う。AIで対応が難しい複雑な質問については遠隔操作でオペレーターが対応した。

⑦ローソンのアバター

ローソンはセルフレジと AVITA が開発したアバターを組み合わせたサービスを導入し 3 店舗（2023年5月末時点）で展開している。コンビニのセルフレジの問題は、コンビニのサービスが多岐にわたるため、客のあらゆる要望に答えることができないことである。しかし人を配置しては、セルフレジを導入するメリットがなくなる。そこで、ローソンでは、セルフレジで対応できない問題を、アバターで対応するシステムを導入している。アバターワーカーは店舗に赴く必要がないため、遠隔地に在住している人や、顔を表に出したくない人も働ける。

AVITA が開発しているアバター

⑧ AVITA が作成した CG アバター

AVACOMはAVITAが開発したオンライン接客サービス。店舗や受付などに設置したディスプレイにCGアバターを表示し、遠隔操作をして対話を行ったり、あるいはウェブサイト上でアバターを通じてリアルタイムに接客や問い合わせへの対応業務を行ったりすることができる。すでに複数企業で導入されており、場合によっては生身の人間が対応する以上の成果をあげている。© AVITA

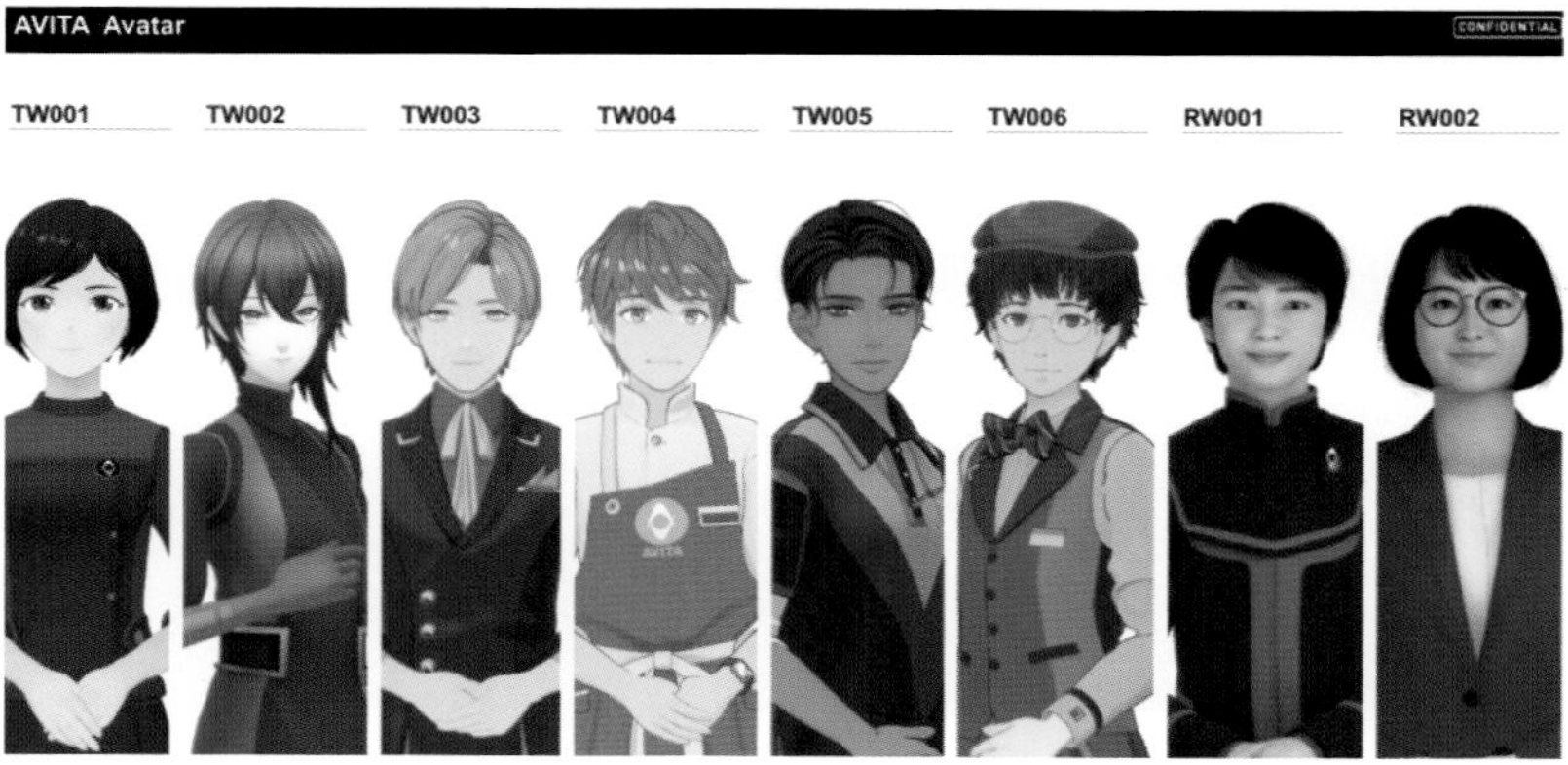

⑨ AVITA が開発した、さまざまなアバター

AVITA では、業務内容や行うサービスのイメージ、用途に合わせてアバターを制作・運用している。アニメのキャラクターのような 3DCG のアバターから、人間そっくりなリアルな外見のアバターまで揃う。日本企業はアニメのキャラクターのようなアバターを選ぶ傾向が強く、海外ではリアルなアバターが選ばれる傾向が強い。男性型・女性型以外に、中性型のアバターを用いる場合もある。© AVITA

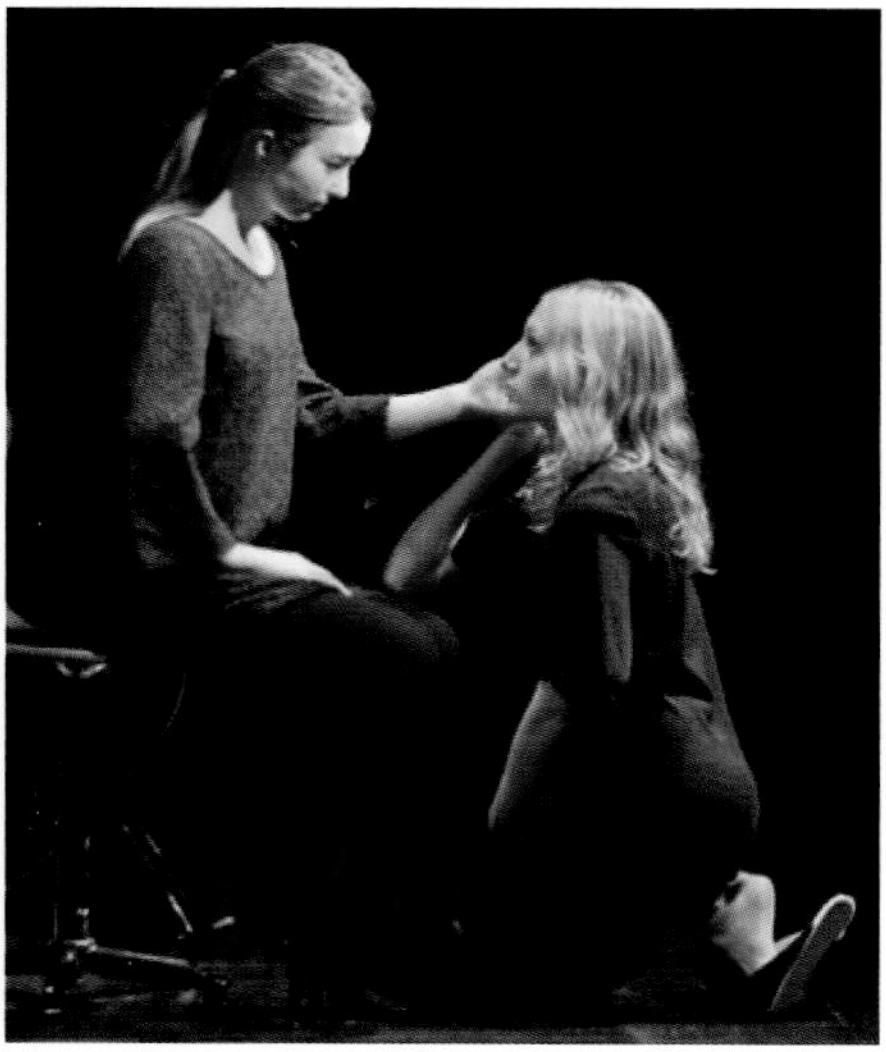

⑩アンドロイド演劇『さようなら』

著者が開発したロボットやアンドロイドを用いて、劇作家・平田オリザは数多くの演劇を制作してきた。世界初の“ロボット演劇”『働く私』の作・演出に続いて制作された世界初の“アンドロイド演劇”『さようなら』にはジェミノイドFが平田の演出のもと、人間の役者と共演した。『さようなら』はヨーロッパやアメリカなど世界各地で公演され、著名なメディアアートのフェスティバル「アルス・エレクトロニカ」では賞も受賞している。上演後には観客からはジェミノイドに対して「本当に心があるように感じた」といった声が挙がった。©青年団、国際電気通信基礎技術研究所（ATR）、大阪大学

⑪アンドロイド観音「マインダー」

アンドロイド観音「マインダー」は、厳密には、自律型のアンドロイドである。あらかじめプログラムされた通りに動作する。観音菩薩をモデルに制作された「マインダー」は、京都の高台寺において、「空」の思想を説く般若心経に関する法話を行い、経を唱える。アンドロイド観音の周りには数多くの人間が映し出され、その映像の中の人間とアンドロイドが、仏教の教えについて対話する。観音はさまざまに姿かたちを変えると言われるが、その意味ではアバター的な存在である。©高台寺、国際電気通信基礎技術研究所（ATR）、大阪大学

アバターの可能性が広がるプロジェクト

⑫河野デジタル大臣と著者、および各々のアバター

ムーンショット型研究開発制度の目標１「2050年までに、人が身体、脳、空間、時間の制約から解放された社会を実現」のプロジェクトのひとつである、「誰もが自在に活躍できるアバター共生社会の実現」に向けて、実験的に河野太郎デジタル大臣のアバターを開発した。この写真は2022年10月の記者発表会において、河野大臣と著者、各々のアバターが並んだ貴重な一枚。

大阪・関西万博のパビリオン
「いのちを拡げる」がテーマ

⑬パビリオンの外観イメージ

2025年に開催予定の日本国際博覧会（大阪・関西万博）で中核となるテーマ事業「いのちの輝きプロジェクト」の一環。著者が準備しているシグネチャーパビリオン「いのちの未来」は、水に覆われた建物の中に、50年後の未来を展示する。展示には、100体近いロボットやアバターが登場する。直接会場に足を運ばなくても、アバターに乗り移ってパビリオンを見学できるようにする計画もある。この画像は、「建築・展示空間ディレクター」の遠藤治郎氏が制作。©FUTURE OF LIFE / EXPO2025

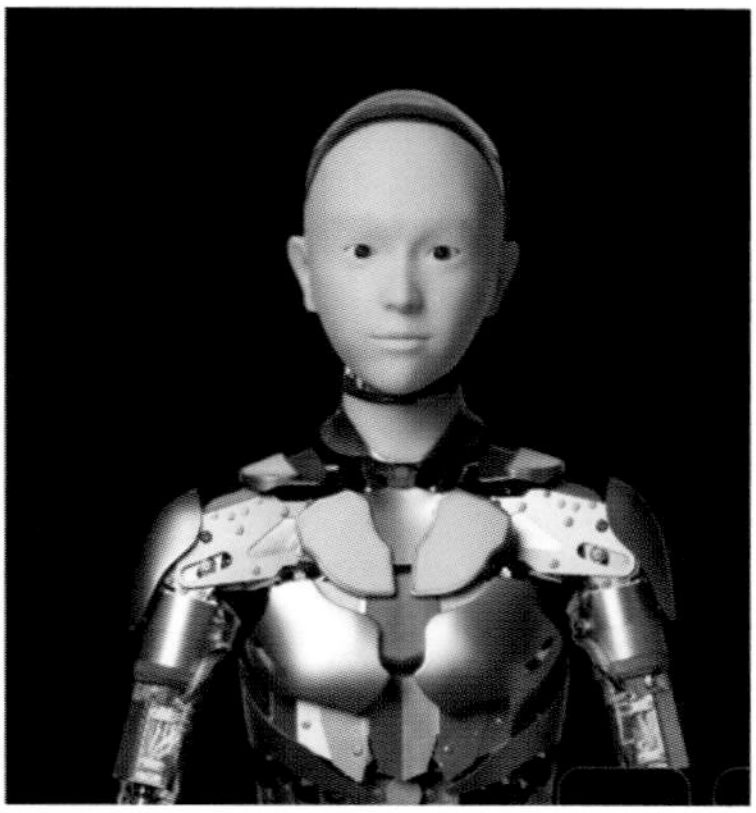

⑭パビリオンに登場するアンドロイドの基になるアンドロイド

写真のアンドロイドなどがさらに改良され、自律型ロボットやアバターとして、パビリオンで展示する50年後の未来のさまざまなシーンに登場する。そこではアンドロイドが人間の生活を支えるために、活躍すると期待されている。開催期間中に会場を訪れた人はバーチャル空間においてアバターでバーチャルパビリオンを体験できるほか、リアルにロボットやアンドロイドと関わったり、会場に設置されたアバター（ロボット）を遠隔操作するなどのオンライン体験も可能になる予定。©FUTURE OF LIFE / EXPO2025、理化学研究所開発、JST Moonshot R&D Avatar Symbiotic Society Project & RIKEN

アバターと共生する未来社会

石黒 浩
HIROSHI ISHIGURO

集英社

まえがき——メタバース・リモートワーク・アバター

この本では、アバターがもたらす社会の変化についてみなさんにお伝えしていきたい。最近では、アバターという言葉が当たり前に使われているが、アバターとは何なのか？

アバターとは、ユーザー（操作者）の分身となるキャラクターのことだ。インターネット上のサービスで稼働するアバターには、２次元の画像のアバターと３ＤＣＧで表現された立体的なアバターがあり、サービスによって使えるアバターの種類は決められていることが多い。

各サービスにおいて、ユーザーは自分が用いるアバターの外見をオリジナルで作れたり、いくつかの候補から選んで作ることができる。髪型や服装、性別や年齢層などをある程度は自由に設定できる。そしてそれは必ずしも利用者自身の姿を模したものとは限らない。リアルタッチの絵柄や３ＤＣＧのこともあれば、デフォルメされたイラスト調のものもある。男性が女性の姿のアバターを用いることやその逆、あるいは動物など人間以外の姿かたちを選ぶこともある。

こうしたアバターは従来、主にゲームやネット上のサービスで用いられてきた。それぞれのサービス内でアバターは自由に行動し、他者とコミュニケーションを取ったり、モノ（データ）の授受を行ったりすることもできる。近年ではアバターのビジネス活用も進んでいる——僕がこれから進めていくのは、その先の話だ。

おそらく多くの人が注目しているのは、アバターよりもメタバースのほうだろう。

2020年代に入り、メタバース上では何ができるのか、どんな経済効果があるのか、現実世界を代替するものになるのかといった話題がメディアを賑《にぎ》わせている。

「メタバースとは何か」の定義はさまざまだ。たとえば「3次元のインターネット」などと呼ばれている。ごく簡単に言えば人工的に作られた仮想空間であり、その中で人間同士がコミュニケーションを取り、ゲームなどのエンターテインメントを楽しみ、経済活動ができることが期待されている。

一方で、メタバース上で動き回る「アバター」については添え物くらいの扱いにしかされていない。

だが本当に重要なのはアバターのほうである。

もちろん、現実世界に生きるわれわれの顔や身体と違って、仮想空間上のアバターでは人々が自由に好きな造形を選べ、作れ、変えられることのすばらしさについては、しばしば語られている。
だがアバターの魅力や真の可能性は、それに留《とど》まるものではない。
アバターは間違いなく人々の働き方、生き方を大きく変え、社会の姿を変える。
あなたの人生を、より生きやすくすることにも貢献してくれる。

これほどまでにメタバースに対する注目が高まっているのは、2020年からの新型コロナウイルス流行以降、リモートワークが一般化したことも無関係ではないだろう。コロナ禍以前には対面で行っていた会議や打ち合わせはZoomなどのウェブ会議サービスを利用したものに切り替わり、在宅勤務でも特に支障なくできる仕事も少なくない。
アバターは、遠隔で行うことのできる仕事の幅をさらに広げ、効率化し、従来以上に細やかな個別対応も可能にする。だがメタバースは、人々がアバターを使って活躍できる場所のひとつにすぎない。アバターは、メタバースの中の世界を越えて、実世界のさまざまな場所に進出していく。

この本では、人間がアバターを用いて社会のあちこちで活動することが当然になっているような、遠からず訪れる未来――「アバターと共生する未来社会」について描いていく。

アバター？　おまえはロボットの研究者ではなかったのか？　と思う人もいるかもしれない。たしかに僕は、自分そっくりのアンドロイドや、夏目漱石やタレントのマツコ・デラックスさんそっくりのアンドロイドを作った人物として、しばしばメディアで取り上げられている。僕のことを「人間型のロボットを作っている人」だと思っている人も多いだろう。

だが僕は、必ずしも人間そっくりのロボットばかりを作ってきたわけではない。１９９０年代末からアバターの研究・開発にも取り組んできた。ただそれは、おそらく今みなさんがイメージするような、ゲームやインターネット上のサービスで動かすことができる（だけの）アバターとは少し違う。

たとえば僕がこれまで作ってきたアバター技術、あるいはこれから作ろうとしている「アバター共生社会」においては、QuestやＶＩＶＥ、ＶＲＧのようなＨＭＤ（ヘッドマウントディスプレイ）、ＶＲヘッドセットはなくてもかまわない。ゴーグルを着けて利用するアバターがあってもいいが、必須ではない。「メタバースは近い将来ポピュラーなものになる」という予想に対する否定的な意見として、「第三者から見るとマヌケに映るヘッドセットを着けるのはイヤだ」「ハードウェアであるＨＭＤをいかに普及させるかがカギだが、必要を感じていない人に買ってもらうのは難しい」―「ヘッドセットは世代交代が非常に早く、マスな消費者に2、3年に一度、数万円するものを買い換えさせるのは現実的ではない」などというものがある。だがゴーグルを着けなくてもいいのであれば、それらの問題はそもそも生じない。

ここまで読んで「メタバースだけでもわけがわからないのに、今度はアバター？　もうついていけない」と思った人がいるのなら、安心してもらいたい。アバターは今言ったようにゴーグルを着けなくても動かせるし、パソコンよりも簡単に扱える。たいていの場合、複雑な使い方を覚える必要はない。自分がアバターを操作するときも、アバターと相対したときも、語りかけるかタッチパネルで操作すればいいものが大半だ。日常的なちょっとした動作であればキーボード操作の必要すらなく、音声入力やタッチするだけで十分なのだ。

改めて用意しなければいけないインフラやデバイスもほとんどない。たとえ過疎地の田舎であっても、電気とWi-Fiとスマホかタブレット、ノートパソコンがあれば利用できる。

僕が普及を目指しているアバター、および今後到来すると考えている「アバター共生社会」は、メタバースの中で完結するようなものではない。僕たちが今、生きている実世界でも、アバターは稼働するからだ。

「アバターは仮想空間内の存在であって、現実生活とは何の関係もない」という固定観念があるのなら、まずその考えを捨ててもらいたい。

メタバースは「空間」の話であり、アバターは人々が動かす「分身」の話だ。

メタバース空間に紐付《ひもづ》かず、この実世界で稼働するアバターも当然存在する。あなたの分身であるアバターが、この現実世界で活動することを想像してもらえればいい。ここで言うアバターはスマホやタブレット、大型ディスプレイに映したCGアバターのこともあるし、物理的に実世界に存在する、遠隔操作可能なロボットのこともある。遠隔操作できるロボットもまた「操作者の分身＝アバター」だ。いずれにしても現実世界で、アバターが人間の分身として活動する、それが僕が実現したい未来である。

どういうことなのか、まだピンとこない方もいるだろう。だがこの本を読み終わるころには、人間がアバターと共生する未来が、待ち遠しくてしかたがないものになっているはずだ。もちろん、メタバースに関心のある読者にとっても意義ある内容になっていることを約束しよう。

また、僕がロボット研究を通じて探究してきた「人間とは何か」「人間らしさとはいかなるものなのか」という哲学的な問いに対しても、アバターは興味深い示唆を与えてくれる。すでにここまでの話で、戸惑いを覚えている人もいるかもしれない。僕がこれからしていく話は、人によっては斬新に感じ、またある人にとっては受け入れがたく感じられるかもしれない。

しかし1990年代に「これからインターネットの時代が来る」と言われていたときには、

世の中の大半の人は今のメタバースやアバターに対する以上に、その後にもたらされたインパクトについてピンときていなかった。たとえばインターネットで当たり前に買い物をする自分の姿を想像できた人はいたであろうか。当時、そんなわけのわからない場所にクレジットカードの情報を入力するのはリスクが高すぎる、と多くの人が語っていた。

新しい技術は常に奇異に映り、人々に恐怖を喚起し、または軽く見られるものだ。人間は体験したことがないものに対しては実感が持てないから、それはしかたがない。

しかし新しく登場したテクノロジーは、実際に利用し始める人が増えていくと脅威論や軽視する空気は霧散していき、徐々に人々の議論の中心は「もっと便利にならないのか。そうするにはどうしたらいいのか」という具体的な使い方、改善方法の話にシフトしていく。

僕がこの本で描いていく「アバター共生社会」は、インターネットの発展段階にたとえると、まだ１９９０年代頃の位置にある。しかしネットのその後の普及過程を知っている僕たちは、アバターがどのように広まり、人々の労働や生活を変えていくのか、ある程度想像ができる。早ければ２０２０年代中には、最初の普及の波がアバター技術に訪れるとも思っている。

本書は、アバターの技術がもたらしつつあるものを通して人類の未来について、人間そのものについて考える思考の旅である。

読者のみなさんには僕の視点に入り込んでいただき、これから訪れるアバター共生社会を、是非その目で体験していただきたい。

２０２３年　５月

石黒　浩

目次

第二章　アバター共生社会が目指すもの

第三章　ムーンショットが進めるアバター研究

第四章　技術の社会実装――AVITAの取り組み

第五章　仮想化実世界とアバターの倫理問題

FUTURE SOCIETY IN HARMONY WITH AVATARS

第一章 アバターとは何か

実世界でも稼働する遠隔操作が可能な分身

FUTURE SOCIETY IN HARMONY WITH AVATARS

◎人と関わるロボットの研究史の始まり——Town Robotプロジェクト

僕が思い描いている人間とロボットアバターとが共生する社会についての認識の解像度を上げていく前準備として、これまで僕が取り組んできた研究について振り返ってみよう。単なる経歴紹介ではなく、このあとで話すアバターの話と関係があることなので、少しお付き合いいただきたい。ただし、僕の本をもう何冊も読んでいるとか、これからアバターがどのように社会に広まっていくのか、すでにどんな実験が、もしくは社会実装がなされているのかを早く知りたいという方は、第一章を飛ばして第二章から読んでもらってもかまわない。

僕は山梨大学工学部、大阪大学基礎工学部の助手を経て、1997年に京都大学工学部の助教授（今で言う准教授）として着任した。その際、当時の上司であった石田亨教授に、こう言われた。「世の中を変える研究をしてください。たとえば京都大学のキャンパス中を動き回れるようなロボットを作ってみては……」と。

それまで僕は、産業利用されるロボットのための基礎的な研究をしていた。だが石田先生の言葉を受け、改めて自分が目指す研究とはどんなものかを考えたのである。そして工場の中で機械的に動くロボットよりも、もっと複雑で、より一般的な環境で働くロボット――人間が生活するような場で人間のように考え、働くロボットが作りたいと思った。

そのころ僕は360度を一度に見渡せる全方位視覚の研究や、カメラを動かす移動台車型のロボットを使った画像処理の研究をしていたが、これらの研究を通じて「コンピュータによる認識とは何か」ということを考えるようになっていた。そこから僕の興味はさらに「人間の認識とは何か」、そして「人間とは何か」という、より深いものに移っていくのである。

一般的に言えば、ロボット工学の研究には主にふたつの目的がある。ひとつは人間のようなロボットを開発し、人間の役に立たせるという工学的な目的。もうひとつは人間のようなロボットの開発を通して、人間について調べるという科学的な目的である。今現在に至るまで、僕もこの両方を追求してきたが、個人的な動機は後者だ。「人のことがわかるようになりたい」、言いかえれば「人間とは何か」の探究である。僕は、人間の生きる意味は「人間とは何か」を考えることにあると思っている。

その答えに近づくため、僕はこれまでさまざまなロボットを作り、無数の実験を行ってきた。人間らしいロボットやアンドロイドは、人間を理解するための格好のテストベッド――実環境での実験を行うプラットフォーム――になる。

どういうことか。人間は非常に複雑である。だが従来の認知科学や脳科学は、人間の身体や脳の一部に焦点を当ててその機能の解明に取り組むというアプローチを基本的に取ってきた。しかし、身体や脳の全体を観察しなければ理解できない人間の性質も非常に多い。また、実験室の中で行われる実験だけでは、実社会での人間の振る舞いのことは部分的にしかわからない。人と関わるロボット研究を始めたころ、どうしたら「人間らしくロボットを動かす」ことができるのかという問題に直面していた僕が、まず調べたのは心理学や認知科学の研究である。指差し動作や視線の向け方など、人間の持つさまざまな表現行動の効果について調べていくと、あまたの論文に無数の知見が書かれていた。しかしながら、それらの研究は、人と関わるロボットを作る上ではほとんど役に立たなかった。なぜなら、たとえば視線の研究であれば、視線以外は一切影響がないような状況を作って視線の効果を調べていたからだ。このような実験室での実験は非日常的なもので、それは現実にはありえないことだから、ロボットを自然に動かすための答えにはならなかったのである。

だから仮説を立てた上で身体を設計し、知能をプログラミングしたロボットを作って人間が活動する場所に実際に投入するという手法を取るしかなかった。進めていくうち、それがかなり有効な手法であることがわかってきた。

ロボットを開発し、社会で行う実証実験を通じて、たとえば人々にとってどんなものなら人間らしく感じられ、どういうときには違和感をもたらすのかがわかれば、「人間とは何なのか」という探究が一歩、進んでいくだろう。実証実験とは、技術の実用化に向け、実際の環境（場面）で使用して問題点の検証を行うことを指す。

その最初の成果が、1997年に始まるTown Robotプロジェクトである。これが僕にとっての、そして世界のロボット研究にとっても「人と関わるロボット」の研究の始まりと言っていいものだった。

それまでのロボット研究は、自動運転のような「ナビゲーション（誘導）」か、工場の中で稼働する産業用ロボットの「マニピュレーション（操作）」のどちらかしかなかった。だが僕は「人と関わるロボット」の研究・開発を世界に先駆けて立ち上げたのである。そしてマサチューセッツ工科大学（MIT）やカーネギー・メロン大学のような北米の大学、あるいはヨーロッパの大学の研究者と連携して国際会議を始めた。人と関わるロボットの研究は、僕を含む複数の研究者を中心にして、2000年に入ってから本格的にスタートしたのだ。

工場内で働く産業用ロボットと、社会で人と関わるロボットとでは、いったい何が違うのか。工場は閉鎖された空間である。環境は基本的に変化しない。機械が壊れるとか、停電するといった事故は起きうるが、そうした変化は予測可能なものである。だから、その閉ざされた場所で起こりうることをすべてあらかじめ想定してロボットを設計し、そのプログラムを開発できる。これが工場で働くロボットの研究の特徴である。

ところが「人がいる環境で人と関わる」ロボットとなると、途端に難易度が上がる。人間はそれぞれ勝手に動き、複数の人がいるとほとんど予測ができないからだ。その空間に机と椅子があったとしたら、人間は思うがままに机や椅子を動かしてしまうこともある。環境が大胆に変化していくのだ。そんななかで働くロボットは、従来の工場で働くロボットが直面する必要がなかったリスクに向き合いながら、タスクをこなさなければならない。人間と関わるロボットの研究の根本的な難しさは、人間が予測不能な存在であることに起因する。人間の行動は、実に多様である。その多様な行動をすべてあらかじめ想定して、行動のひとつひとつに対応するロボットの動作を決定しておくことは、ほとんど不可能である。産業用ロボットの研究者と比べて人と関わるロボットの研究に手を付ける者が少なかった理由には、こうした方法論上の困難も背景のひとつにあった。だが、それでも僕は挑戦を選んだ。

「Town Robot」は人間そっくりというわけではないが、ヒト型のロボットである。目の代わりにカメラの付いた頭部があって、頭部の下には身体があり、立った状態で車輪で移動する。

なぜ人間のかたちに似せたのか。「人間とは何か」を知りたいから、というのは僕の個人的な動機である。だが、それを抜きにしても「人と関わるロボットは人間型であるほうがいい」と少なくないロボット研究者が考えている。

もちろん一方で「ロボットは求められる機能に合わせたかたちで存在すればいい」という考え方も存在する。言いかえれば、環境を認識するセンサー、センサーが取得した情報を元に考えるコンピュータ、動作をさせるための駆動装置であるアクチュエータなどが最適なかたちで組み合わされていれば、見かけはどうでもいい、という考えだ。ロボット掃除機が円形や四角形・三角形のかたちをして室内をぐるぐる回りながら進むように、たとえば「レストランで配膳する」という「機能」だけが求められているのであれば台車型でよく、人に似せる必然性はない、と。

だが、実際には人間を相手に対話をしたり、情報を伝達したり、接客したりといったかたちで人間と関わるロボットのデザインを、まったく無機質な四角い箱形だとか、奇妙奇天烈《きてれつ》なかたちにする開発者は、多くはない。また、そういうロボットを好む利用者もまれだ。では人間と触れ合うロボットが、かたちに限らず、何らかの人間らしさを有していたほうがいいのはなぜなのか。

それは、ヒトがヒトを認識する脳を持つからだ。たとえば紙にペンで○を描いてそのなかに点をふたつ打ち、その二点よりも低い位置に線を引いてみてほしい。それを見た人の多くは「人の顔だ」と感じるはずだ。実際はただの円と点と線にすぎないものを、人の顔と目、口に近いものとして認識してしまう。このように、人間はヒトのかたちをしたものにきわめて反応しやすく、人間に近いものに親しみを抱く傾向がある。人間にとって、理想的なインターフェースは人間なのである。ゆえに人間を取り巻くロボットや情報メディアは、少なくとも部分的には人間らしいほうが利用者にとって望ましい。最近ではロボット掃除機や給湯器ですら、当たり前のように音声で「充電してください」とか「お風呂が沸きました」と語る。無機質な「ピー」といった音や、赤く光が明滅するといったシステムなどで作業完了や不具合を伝達してもいいのに、あえて言葉で使用者に伝えるのは、それを人間が望むからである。

さて、僕の研究の話に戻ろう。ヒト型の Town Robot を作った目的は何か。それは、このロボットが人と関わり、その軌跡を地図に表すことで町の様子を表現することにあった。人間の空間認識は、俯瞰《ふかん》的・客観的な地図のようなものではない。どこに行くと何があり、どんな人がいて、どんなことが起こりそうなのかに関する、人それぞれの主観的な認知と結びついている。たとえば地図の読み方がわからない小学校低学年であっても、自宅から学校までのあいだに何があり、どこに友だちが住んでいるのか、通学中の交通案内をしてくれる先生や保護者はいつもどこに立っているのかという認知地図は持っている。僕は Town Robot に人と関わりを持たせ、そのプロセスを記録することで、人間が持つような認知地図を表現することを試みた。ロボットが人間らしい認識や思考を持つことができれば、人間の認識や思考がどんなものなのかがわかるようになるからだ。

◎その後の自律型ロボットのベースとなったロボビー

Town Robot はプログラムに従って動き、基本的には人間の操作を必要としない（ことを目指す）「自律型ロボット」だ。この方向の研究は、僕らが２０００年に国際電気通信基礎技術研究所（ＡＴＲ）の知能ロボティクス研究所で最初に開発し、発表した Robovie（ロボビー）で花開く。このロボットを元に、Human-Robot Interaction という新しい研究分野をロボット研究のなかで立ち上げた。同時期に世界の他の研究者も同様の研究を行っていたが、僕自身も研究分野の創設者のひとりだと思う。ロボビーの研究にともに取り組んだのは、学生時代から Town Robot の研究に取り組んだ、京都大学の神田崇行《たかゆき》教授だ（当時ＡＴＲ研究員）。

ロボビーは実験室での研究開発を経て、小学校や科学館、さらにはショッピングモールでも実証実験を行うようになった。どんなことをして、何を得たのか。

まずロボットを使うと、それまで人間が無意識にしていた判断や感覚的に認識していたこ

①Robovie（ロボビー）
©国際電気通信基礎技術研究所（ATR）

とを数値化できる。たとえばショッピングモールにロボビーを置くと、どんな人がどこから来て、どの場所にどれだけ立ち止まるか、といった詳細なデータを人との関わりを通して、きわめて正確に収集できる。こういったこと自体が施設運営者にとっては有益な情報になる。

　また、ロボビーがモール内に張り巡らされたセンサーネットワークにアクセスすることで、ロボビーの視界には映らなくても、近くで立ち止まった人がいればさらに近づいて案内をするといった、ロボットが直接的に人間の役に立つようなこともできた。

　と同時に、開発したロボットを現実の場面で利用することで、人と関わるロボットの本当の問題も見えてくる。たいてい実証実験を行う前には予想もしなかったところで「こういうことができないといけないのか」「人間はこのようなとき、こんな風に振る舞うのか」といった発見があり、それを踏まえた課題をクリアするためにさらにロボットを改良していくヒントを得ることができる。

ロボビーはこのあと僕らが携わる自律型ロボット研究のベースとなった。今でも使えるレベルの性能を持ち、さまざまな実験を行い、たくさんの論文を発表することができた。

しかし、実はロボビー以前のTown Robotでロボットの自律化を目指して研究に取りかかってすぐに直面したのは、その難しさだった。人間が外部から操作をせずに自律的に動かすためには、そのロボットが何を観察し、どう判断し、いかに動くのかを、あらかじめプログラミングしなければならない。

そして「人のように振る舞う」ためには、人間が観察や思考、動作をどのように行っているのかをひとつひとつ分解し、機械で置き換えていく必要がある。だが、現在から約四半世紀前、人と関わるロボットの研究が始まったばかりの時代には、先ほども言ったように心理学や認知科学の文献をいくら漁《あさ》っても、そのような知見は十分に蓄積されていなかったのである。開発にはさまざまな困難があった。

◎僕のアバター研究・開発の原点――1999年のIROS

そこで僕は、遠隔操作型ロボットにも取り組むことにした。「人間にロボットを遠隔操作させることで人間の知覚パターン――何を見て、どう行動するのか――を記録することで、自律型ロボット実現の助けにしよう」と考えたからだ。

改めて確認しておこう。自律型ロボットとは、搭載されたセンサーで環境を認識し、自らがその結果を解釈して、自律的に行動するロボットである。

一方で遠隔操作型ロボットとは、無線やインターネットを通して、ロボットのセンサーの情報を操作者が受け取り、操作者がその情報を解釈し、次にロボットは何をすべきかを考え、再び無線やインターネットを介して指令を送るという、操り人形のようなロボットである。

自律型ロボットの研究に携わってきた者が、ロボットをリモコンで動かすような遠隔操作の機能を取り入れていいのかと、研究の大きな目的をあきらめたような気がして、初めのうちは自分でも抵抗があった。「人間のように自律的に認識し、行動するロボットを作りたい」というのが、もともとのモチベーションだったからだ。だがここで始めた遠隔操作型ロボットの研究・開発が、今のアバターにつながってくる。先に言ってしまうが、この本で「アバター」と呼ぶものは、みなさんが想像するであろうＣＧアバターだけでなく、物理的な身体を持って現実空間で稼働する遠隔操作型ロボットも含んでいる。そして、ＣＧアバターには、遠隔操作型ロボットを使って得られた研究知見が、さまざまに活《い》かされている。

僕は１９９９年に、ＩＲＯＳ（International Conference on Intelligent Robots and Systems：知能ロボットとシステムに関する国際会議）という世界最大級のロボット研究の会議において、遠隔操作型ロボットを発表している。これがロボット分野でも初期の、人との対話を目的とした遠隔操作型ロボットの研究だろう。

それは、どんなものだったか。テレビ会議システムとカメラ付きの移動台車を組み合わせたものである。ZoomやFaceTimeと同様に、カメラで操作者と通話相手の姿を互いに映し合いながら対話をしつつ、そのテレビ会議を行うコンピュータを積んだ台車で部屋の中を走り回ることができた。オフィスまで足を運ばなくても、ロボット（アバター）に乗り移って働ける——そういうインフラとして、このシステムを提案したのである。これを1台オフィスに置いておけば、操作者は自宅にいながらリモートでオフィスのあちこちを動き回り、同僚と話をしたり、カメラで社内の様子を見て仕事の進捗状況を確認したりすることができる。

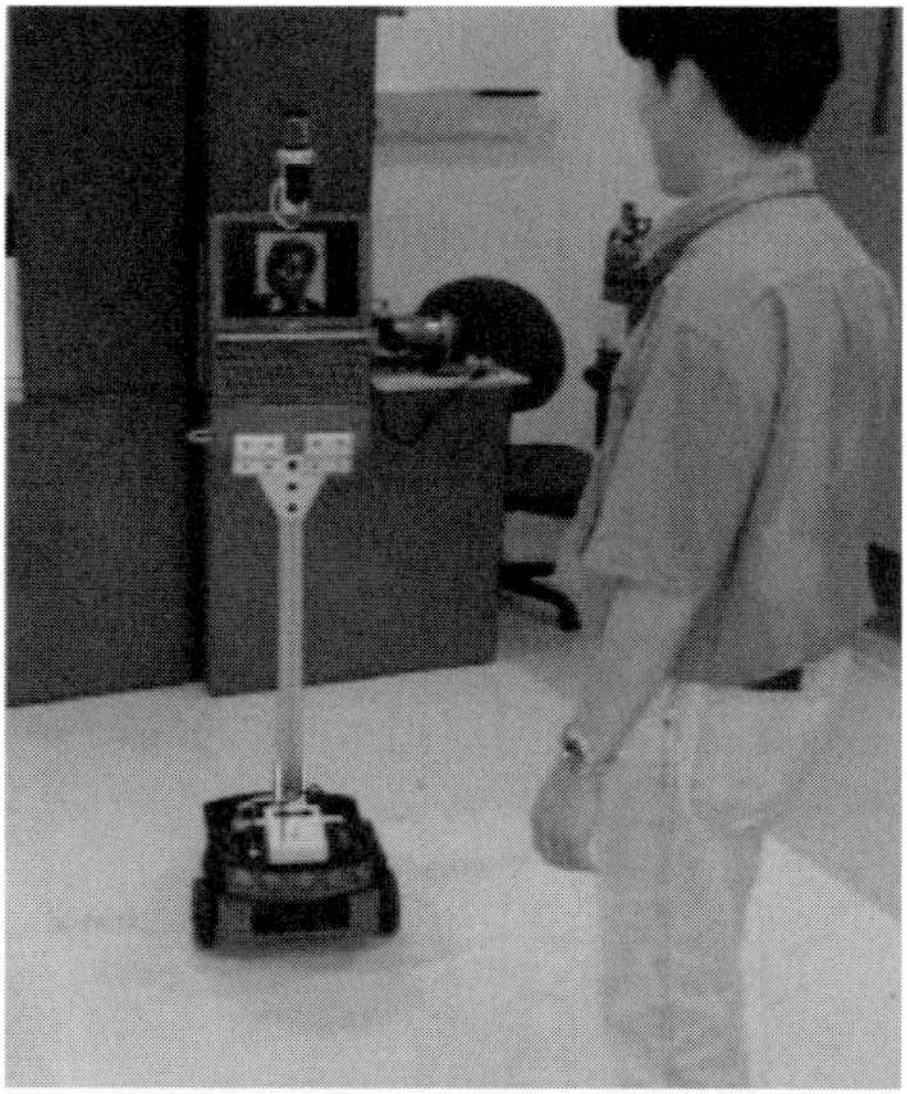

②1999年に発表された遠隔操作型ロボット
ⓒカリフォルニア大学サンディエゴ校Computer Vision and Robotics Research laboratory

実際には単なるテレビ会議システム＋台車には留まらず、台車の存在する環境の中（たとえば部屋の中）にセンサーネットワークを実装してアバターの動きを追跡し、操作者はセンサーとアバター搭載のカメラを通じてその空間をどこでも見回すことができるという、当時としては先進的な仕組みだった。

僕のアバター研究・開発の原型は、ここにある。アバターとは、一般的にはゲームやネット空間において「自分の分身になるキャラクター」という意味だと理解されている。しかし「自分の分身」として動かすという意味では遠隔操作型ロボットも同じであり、やはりアバターなのである。

のちにこの僕のアバターロボットと同様のものが複数の企業から販売されるようになった。これらは現在でも流通している。ロボット掃除機よりも一回り大きいくらいの本体の上に棒を立て、人間の視線よりも少し下あたりの位置にモニターを取り付け、テレビ会議の画面をモニターに映し出すという移動型ロボットだ。遠隔操作する人はパソコン上でZoomやスカイプを開き、ジョイスティックでロボットを移動させる。その画面を見ながらロボットの前にいる人と話をする、というものだ。

だがこうした発想は、僕が発表する以前にはアカデミアのなかには、おそらくほとんど存在せず（厳密に調べてはいないが）、まして一般向けの市場は存在しなかったのである。

◎遠隔操作であっても存在感を伝えるアバター――ジェミノイド

このあと僕が手がけた遠隔操作型ロボットアバターの代表的なもののひとつに、Geminoid（ジェミノイド）がある。ATRで開発し、２００６年に発表した、実在の人物に酷似した外見を持つアンドロイドである。僕自身のコピーでもあるのでHiroshi Ishiguroの頭文字をとって「ジェミノイドHI」（口絵①、②）と名付けた。このアンドロイドは何度もテレビで取り上げられたことがあるから、ご存じの方も多いだろう。ジェミノイドはコピー元の人物の見かけ、動き、声質など、個人としてのアイデンティティを継承したアンドロイドである。僕

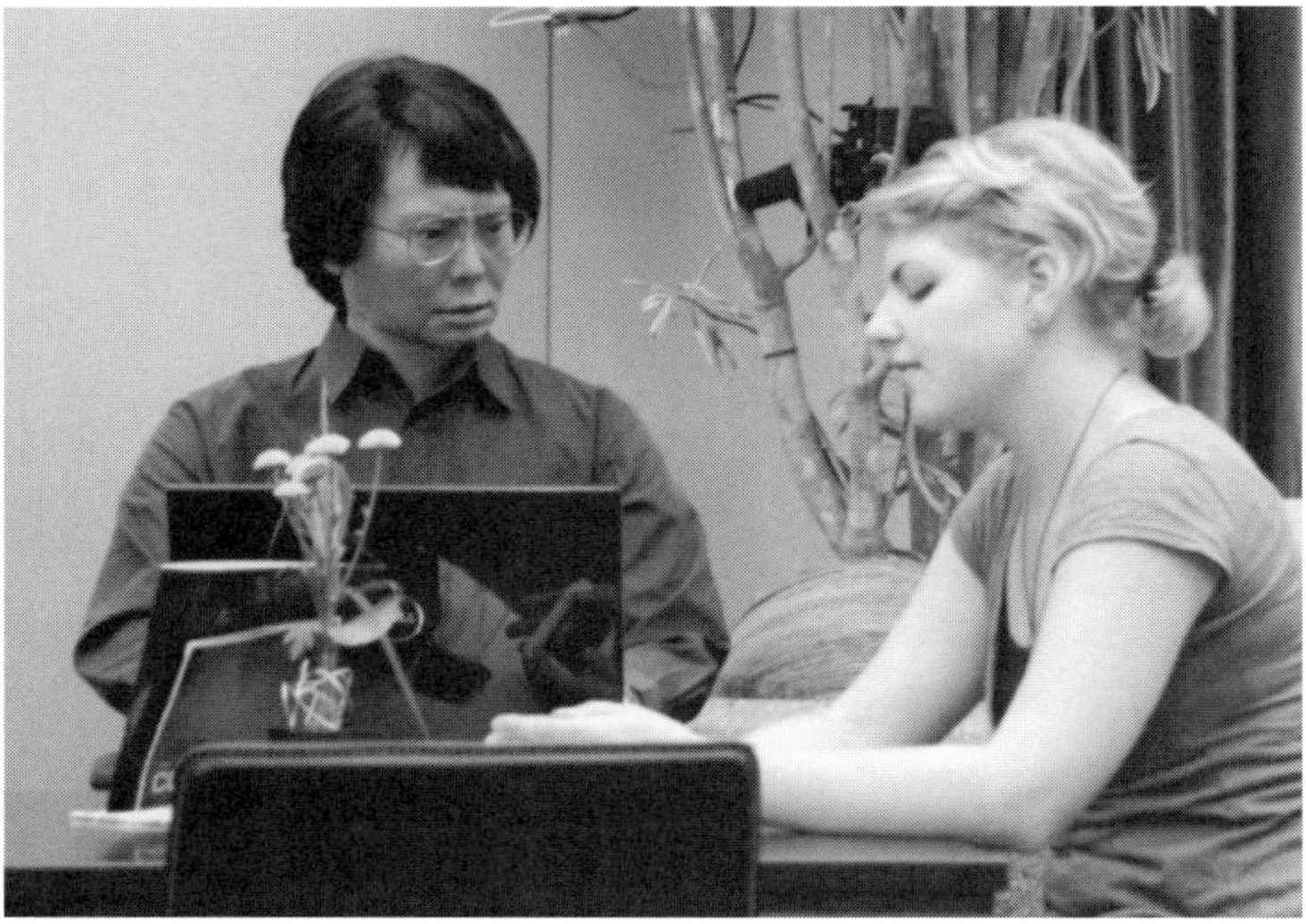

③著者のGeminoid（ジェミノイド）が海外で外国人と会話をしている
ⓒアルスエレクトロニカ、大阪大学

④著者のジェミノイドが海外で聴衆を前に講演をしている
ⓒアルスエレクトロニカ、大阪大学

はジェミノイドHIを使って遠隔地への会議の参加や講演活動を時折行っている。

ジェミノイドの重要なポイントは、遠隔操作する人間は現地にはいないが、アバター（ジェミノイド）は話しかける相手のそばに物理的に存在する、ということだ。たとえば、単にディスプレイ越しにウェビナー（ウェブ上でのセミナー、講演）を聞いたところで「目の前にその人がいて話を聞いている」という感覚は得られない。しかし、講演会場にジェミノイドがいて身振り手振りを交えて語ると、遠隔操作で話しかけていること自体は変わりないのに、聞き手はたしかに僕の存在を感じてくれる。

このように「あの人がここにいる」という存在感を与えられ、自分（たち）に直接話しかけているのだと感じられることは、受け手にとって大きな意味がある。

講演や講義、対話は、ただ単に文字情報を提供するものではない。情報を知りたいだけなら、講演の文字起こしを読めば十分だ。勉強にしても、講義ではなく教科書を読むだけで済ませてもいい。だが、世の中から講演や講義はなくならない。演劇を観《み》て得られる感動と、同じ演目の戯曲を読んで得られる感動がまったく別物であることを思えば、理解するのに難しい話ではない。存在感を持った誰かが目の前で語りかけてくれるほうが、より深い内容の理解、より深い感銘につながる。ジェミノイドは遠隔操作でありながらも、人と人との生《なま》の関わりの臨場感に近いコミュニケーションを可能にするアバターである。

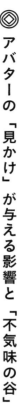

◎アバターの「見かけ」が与える影響と「不気味の谷」

ところで、どうしてジェミノイドは人間そっくりの外見なのか。今日のCGアバターでもその「見かけ」がいかなるものなのかはきわめて重要な意味を持つ。そこで、アバターの外見問題について考えてみたい。

ジェミノイドを手がける以前、三菱重工業株式会社がロボビーを手本にwakamaru（ワカマル）というロボットを開発した。そのデザイン案を見た僕は、ワカマルの顔が昆虫のような顔をしていることが気になった。僕は「人間らしさ」の追求にこだわってロボットを作っていたからだ。しかし三菱重工業の担当者に意見を伝えても納得してもらえず、結局、同社は昆虫顔のデザインを採用した。そのときまでの僕は「ロボットをどのように動かすか」という研究はしていたが、「ロボットの見かけ」については何も研究してこなかった。だから「人間らしい見かけが重要だ」と言ったところで説得力を持たなかったのである。

今ではロボットアバターの「見かけ」が重要であることを疑う者はいないだろう。少なくとも「動き」と同じくらい人間に影響を与える、と理解されている。たとえば遠くから歩い

⑤wakamaru（ワカマル）が、平田オリザ氏演出のロボット演劇『働く私』に出演した際のワン・シーン
ⓒ青年団、大阪大学

てくる美女や美男子に注意を引かれる際には、その動きにではなく見かけに引かれているはずだ。また人々が洗面台やトイレに設置された鏡で確認するのは、自分の顔であってクセなどの動きではない。VTuber（Virtual YouTuber の略）などのアバターに日ごろ接している人が増えた今では「アバターでは見かけが大事」ということは当たり前のこととして受け取られている。だが２０００年代前半には、ロボット開発に携わる人間たちのあいだにそういった意識は薄かったのである。

しかし「見かけが大事」と言っても、どんな見かけならいいのだろうか。具体的に考えなければ作れない。また、研究者としてはその見かけの「良さ」を科学的に検証しなければならない。

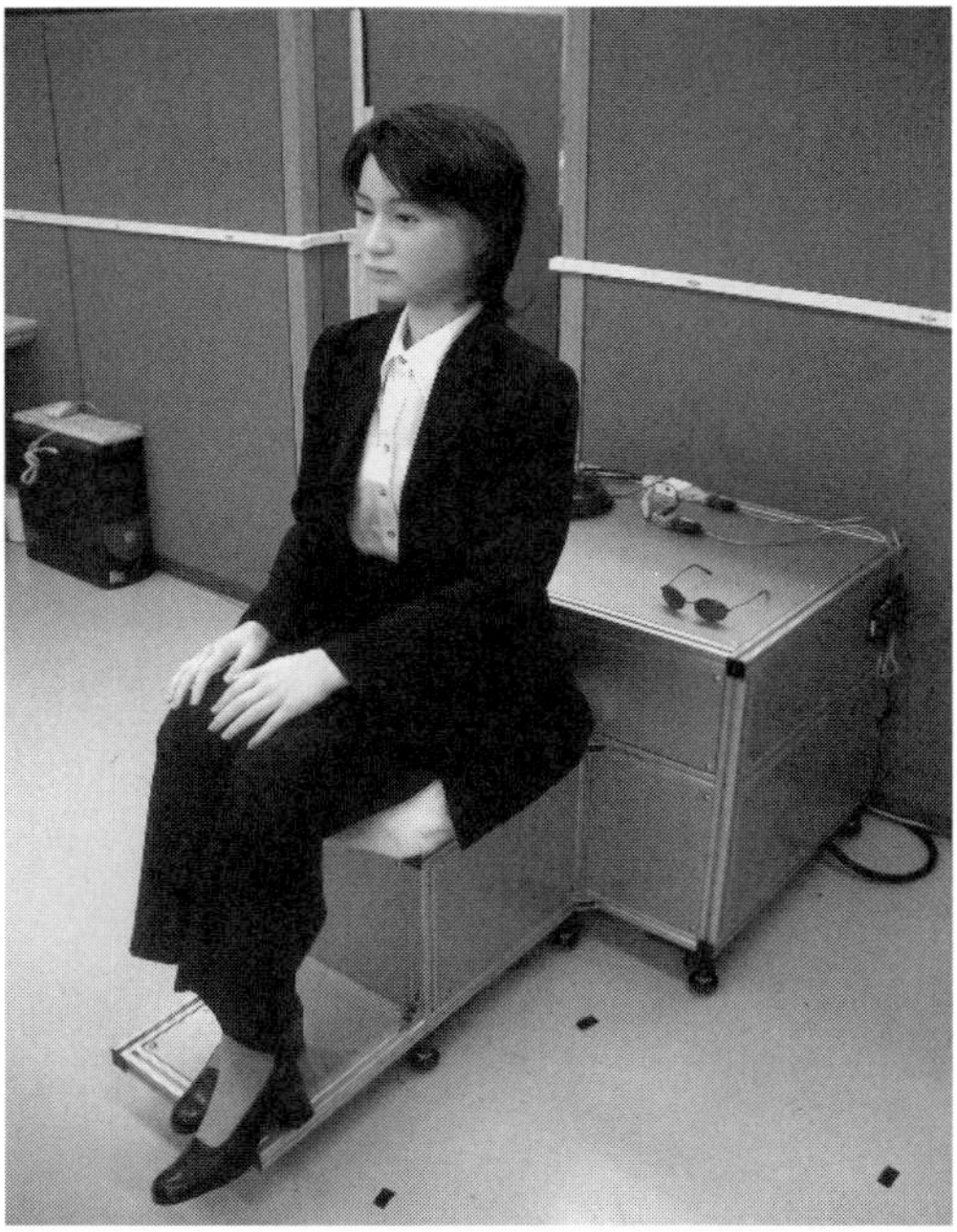

⑥Repliee Q1（リプリーＱ１）
Ⓒ大阪大学

そこで２００４年、僕は世界初の人間に酷似した成人型アンドロイドとして手がけたRepliee Q1（リプリーＱ１）の開発時に、顔学会で研究されている「平均顔」を参考に顔をデザインすることにした。平均顔は文字通り多くの人々の顔を集めてその「平均」を取ったものである。人々が考える「美しい顔」は、この平均顔に近いと言われている。

なぜ平均顔にしたのか。「人間らしいデザインのロボット」と言っても、どういう人間にすればいいかがわからなかったからだ。だからまずは平均にしてみたのである。

この平均顔は、男性でも女性でもなかった。男女両方の平均を取った顔を選んだ。というのも、女性アンドロイドを作ると「女性蔑視だ」と批判される懸念があり、一方で男性にしたとしても同様に「なぜ男なのか」と問われるだろうと思ったからだ。僕は最初に作る成人型アンドロイドでは、多くの人を代表させたかった。

しかしながら平均顔のアンドロイドを作ってみると、きれいな顔立ちではあるのだが、どこか人間らしくなかった。「人間らしいアンドロイド」を作りたかったのに、どことなく「人工的な顔」になってしまったことが不満だった。――だが実は、僕らが今手がけているアバターにおいてはむしろこの「平均顔」には別のポジティブな意味合いが見いだされている。その話はまたのちほどすることにしよう。

そこで僕らは「人間らしさ」を追求するべく、今度はＮＨＫの藤井彩子アナウンサーにモデルになってもらい、実在の人間を元にRepliee Q1 expo（リプリーＱ１ｅｘｐｏ）を作った。リプリーＱ１ｅｘｐｏこそ世界初の「実在する人間をモデルにし、人間らしく動作する機能が実装されたアンドロイド」であり、ジェミノイドはこの「人間らしい見かけ」を徹底する流れから生まれた。このリプリーＱ１ｅｘｐｏは２００５年の愛知万博（愛・地球博）で大きな注目を集めた。万博終了後は藤井さんとわからないようにRepliee Q2（リプリーＱ２）として顔を作り替えた。

だが、リプリーやジェミノイドの開発、実験を通じて、ロボット研究者の森政弘先生が提唱された「不気味の谷」問題に直面した。人間は人間に少しだけ似ているものに対しては人

⑦愛知万博のあとに顔を作り替えたRepliee Q2（リプリーQ２）Ⓒ大阪大学

間らしさを感じて親しみを抱くが、一定以上似てくると見かけやしゃべり方が少しでも違うだけで不自然に感じてしまう。これが「不気味の谷」である。

それほど人間らしい見かけではないロボビーやワカマルに対しては「かわいい」と言われることもあった。ところが人間そっくりの見かけを目指したリプリーやジェミノイドは、だからこそ不気味の谷に落ち、動きが不自然だと、時には動く死体（ゾンビ）を見たときのような違和感を喚起することがあった。生身の人間と似ているからこそ、接する人たちはじろじろとリプリーやジェミノイドを「観察」して、人間と違うところを無意識的にも意識的にも探してしまうのである。だがどのように工夫すれば不気味の谷を乗り越えられる

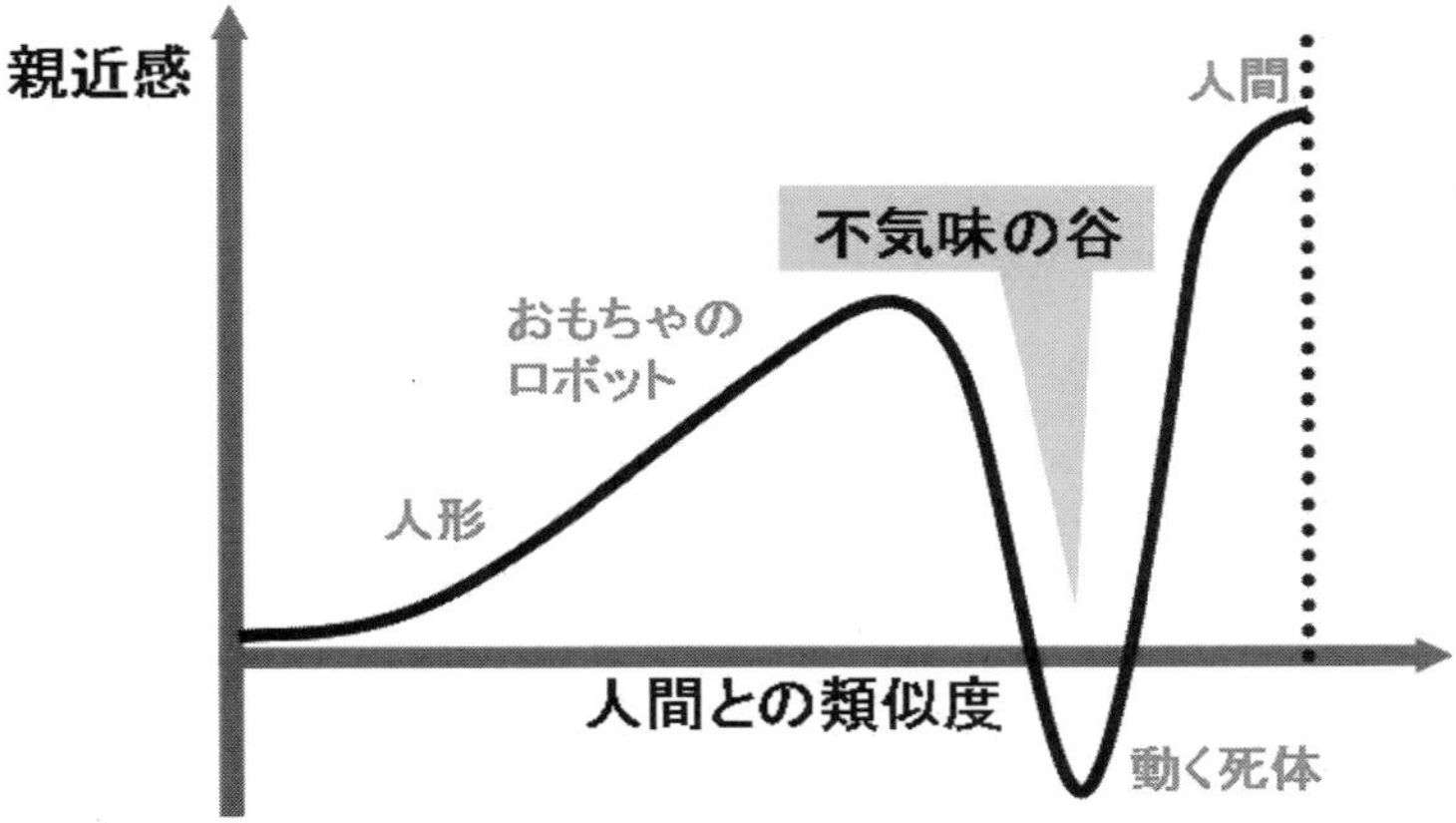

⑧「不気味の谷」のグラフ
出典：『energy』Vol.7, No.4

のかについて書かれた論文など、もちろん当時は存在せず、文字通り手探り状態だった。

これはおそらくメタバース上で現実世界の観光地などを、そこにいる人間ごと再現しようとしている人たちも目下直面している課題だろう。実際の人間そっくりなアバターを目指した場合、見せ方を工夫したり、見かけ以外の部分でうまく補う必要が生じる。そうしなければ、デフォルメしたキャラクター以上に、悪い意味ですぐに作り物くさく感じられてしまう。「作り物でいい」と割り切れるケースなら話は簡単なのだが、「本物」らしさを目指すと途端に難しくなるのである。

◎無個性ゆえに想像力を喚起するテレノイド

このジェミノイドでの経験から、僕らはまったく逆の発想をした「Telenoid（テレノイド）」という遠隔コミュニケーション用のロボットを作った（口絵③）。ジェミノイドに対して人々はどうしても「観察」によって接してしまうので、違和感を抱かれることが避けがたかった。だからテレノイドは、観察ではなく、人間が「想像する」ことで接するロボットを目指した。この発想は、今、僕らが手がけるＣＧアバターや物理アバター（ロボット）にも継承されている。

テレノイドは大人のようにも子どものようにも、男性のようにも女性のようにも見えるが、そのいずれでもない――人としての個性を持たないが、ヒト型をした見かけの対話ロボットである。これはリプリーＱ１の「平均顔」の流れを汲《く》んでいると言える。

テレノイドは顔に目や鼻、口はあるものの、頭はつるつるで、ボディはあるが土偶のように丸く短い四肢をした乳白色の小型ロボット／コミュニケーションデバイスだ。人間が対話において最も重視する目を中心に、身体の末端に向かうにつれて特徴が消えていくように

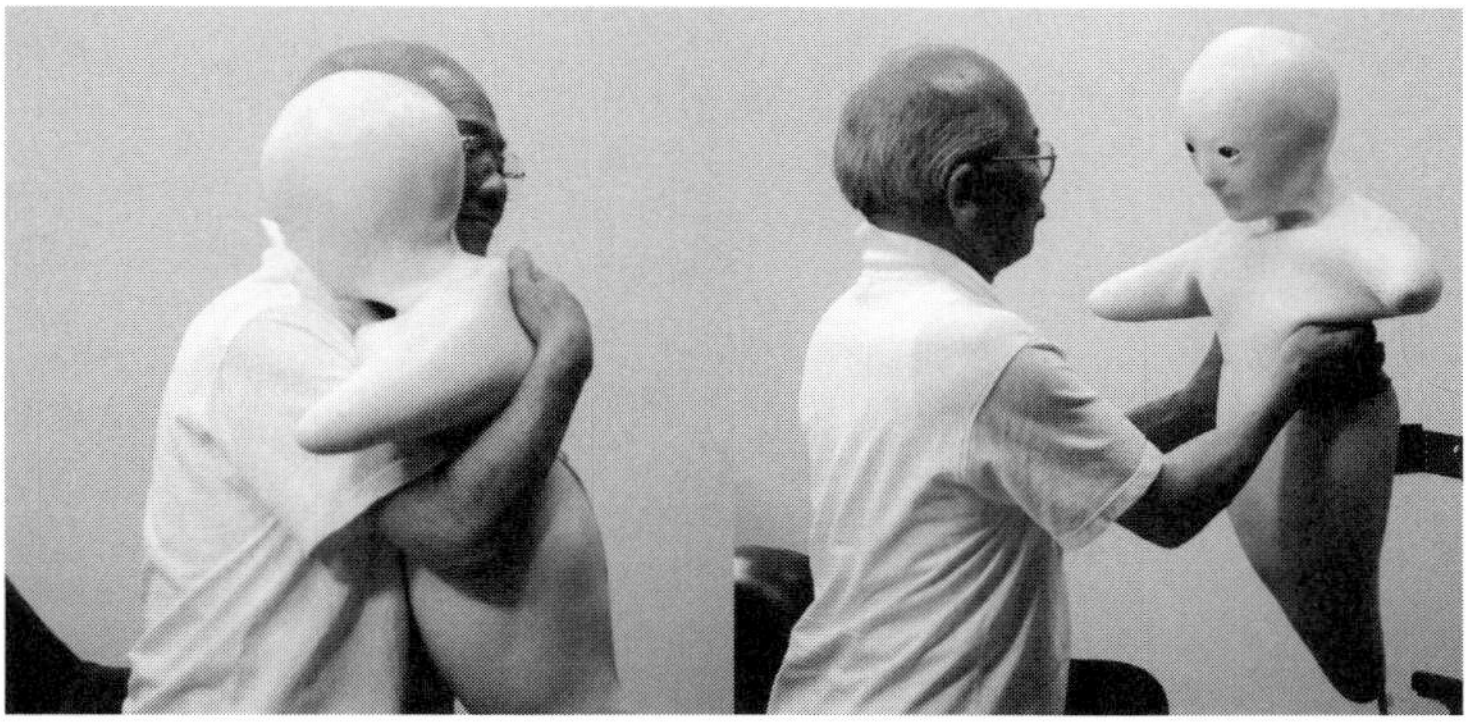

⑨Telenoid（テレノイド）を高齢者が抱きかかえて使用している様子
ⓒ大阪大学

なっている。人間として対話できる最低限の姿かたちを求めて対話に必要ない部分を削《そ》ぎ落とし、単純化している。

テレノイドを初めて見た人はたいてい「何これ？」「気持ち悪い」と言う。平均顔路線の表情の造形をしているテレノイドは、人間には見えるが、本物の人間と比べるとどこか人間らしくない。くわえて四肢が短いことも奇妙な印象を与える。だが、使うとその良さがわかってくる。

どんな風に使うのか。たとえば施設にいる高齢者と子どもが連絡を取る際に、高齢者側がテレノイドを抱えた状態で対話する（子どものほうは、パソコンなどを使う）。お年寄り側からは子ども——と言っても後期高齢者の方の娘・息子だから、もはや中高年であることが多いが——の姿は見えない。

日本やオーストリア、デンマークなど、さまざまな施設で実験を行い、その後行ったアンケート調査から、生身の対話やお互いまったく姿が見えない電話での通話と比べ、テレノイドを使った対話のほうがポジティブな印象を抱く傾向が見られた。高齢者はテレノイドでの通信を好み、「生身の人間以上（実の家族以上）に親しみやすい」と評価する傾向が如実にあらわれたのだ。利用者であるご高齢の方々は「かわいい孫やひ孫はまだいいが、50代〜60代になる自分の子どもには会いたくない、テレノイドのほうがいい」としばしば言うのである。なぜこんなことが起こるのか。

「個性を持たないがヒト型」であるテレノイドは、使用者に対話相手に対する想像を促すデザインになっている。

人間は、声から人の姿を想像するときには、肯定的に補うことが多い。たとえばラジオを聴いていて、パーソナリティの顔を見たことがなくても、その声から「きっとすてきな人なんだろう」と想像したことがあるはずだ。

平均顔に近いテレノイドは、人工的な印象を与える。しかし平均顔であるがゆえに、その表情はいかようにでも解釈することができる。能面や仏像と同じだ。テレノイドの「見かけ（表情）」は変化しないが、見る者の心情やそこで交わされる対話によって、その顔が示す感情は違って見える。見る側の想像力が補うからだ。そして特定の誰かに近い顔をかたどったものよりも、平均顔のほうが豊かな想像力を喚起する。先に、美人は平均顔に近い、という話をした。さまざまな人がさまざまな気持ちを投影でき、想像力を喚起することが、たくさんの人から「美しい」と認識される理由なのだろう。美しい女性は、しばしば整形疑惑がかけられるが、それは美しさと人工的な印象とが紙一重であることを示していると思われる。人工的な平均顔に振り切ったテレノイドは、振り切りすぎているがゆえに「気持ち悪い」と感じられるのかもしれないが、その顔に向かって言葉を交わしていると、人と話すよりも、相手に対する想像力がポジティブに喚起される。

テレノイドはただのスピーカーではない。ヒト型の端末から音声が出てくるからこそ、想像をより積極的に促すことができる。「人間はヒト型をしたものに反応しやすい」からだ。無機質な受話器や四角い板状のスマホよりも、ヒトのかたちをした端末から声がするほうが、ほどよく親近感を持つのである。

「ほどよく」と言ったのは、生身の人間と比べてのことだ。リモート会議が普及した今でも、「生身の人間同士の対話が一番いい」と考えている人は少なくない。だが実際には、生身の人間同士の会話は余計な情報を対話相手に与えたり、逆に受け取ることもある。余計な情報というのは、たとえば対話している相手から伝わってくる緊張感や圧迫感、表情から漏れ出た負の感情（本音）のことだ。そのせいで、話していてプレッシャーを感じ、イヤな気持ちになった経験は誰しもあるだろう。

また、対面では見せたくない部分まで自らの姿を晒《さら》さなければいけないことも、時に負担になる。病気で弱っているときや、化粧をしていない、服装がイマイチといった理由で、「見せたい自分」の姿でないようなときに、生身を晒して対話するのはつらいものだ。こういったことが理由で「対面では会いたくない」「話すのは気が重い」などと感じているケースは少なくない。その点、テレノイドは操作者の生身の姿は見えないという気楽さもある。それでいてヒト型の端末から声がすることによって、存在感が伝わりポジティブな連想を生み出す。

その一例として、施設にいるある高齢者は、テレノイドを通じての対話によって、家族が自分に対して内心抱いている健康に対する不安などを、直接感じることが少なくなったと語った。実際、参加してくれた高齢者の多くは、「テレノイドを使って話すほうが楽だ」と言うのである。

テレノイドはデンマーク、イタリア、ドイツ、オーストリア、オランダなどヨーロッパを中心に長期間にわたって実証実験を繰り返し、すでに実験フェーズを越えて導入されている施設もある。デンマークでは国家プロジェクトにも参画し、大阪大学の西尾修一特任教授と山崎竜二講師が中心になり、ふたりは前職のＡＴＲ主任と研究員の時代から研究開発に取り組んでいる。幼少期にドイツからデンマークに移住してきたものの、認知症によってデンマーク語が話せなくなっていたご老人が、テレノイドを用いるとリラックスして会話ができ、デンマーク語を思い出して再び話せるようになった、といった感動的な出来事が数多くあった。

人との対話がなくなり、塞ぎ込みがちになる高齢者にとって、対話は重要である。対話を続けることで認知症の予防になるとも言われており、世界中のさまざまな高齢者施設において対話を促す次世代のデバイスが求められているが、テレノイドはその有力な可能性のひとつになっている。

◎アバターが利用するモダリティの数を絞り、組み合わせを考える——ハグビー

ジェミノイドとテレノイドは、対極的なアプローチから生まれた。

今日のアバターの制作・運営においては、ジェミノイドのように「情報量を増やして人間らしさを徹底的に再現する」という方向性だけでなく、テレノイドのように「あえて情報量を削ぎ落とすことによって接する人の想像力を喚起する」という手法も重要になる。

たとえば僕らは、テレノイドからさらに情報を削ぎ落とした「Hugvie（ハグビー）」（口絵④）を2012年に開発している。今、「アバター」と言って想像されるほとんどのものとは、

まったく異なる方法論で制作されたものであり、多くのアバター開発者や利用者に知っておいてもらいたい存在だ。

ハグビーとはどんなものか。それを説明するには、遠回りに感じるかもしれないが、そもそもヒトが人間らしい存在感をどのように認知しているかを知る必要がある。

ヒトが、ある対象から人間らしい存在感を感じるためには「音声と触覚」「においと触覚」など、最低ふたつのモダリティ（感覚）が必要になる。五感すべてに訴えかけずとも、ふたつの感覚に訴えることができれば、人間らしい存在感は十分に伝わる。科学的に十分に検証されたことではないが、これまでの多くの研究を通して、僕はこの法則は正しいと考えている。

テレノイドは操作者に訴えかけるモダリティを「見かけと音声」に絞って設計したことで、前述の効果を得た。

ハグビーは「音声と触感」というモダリティの組み合わせで、存在感を伝える。見た目はテレノイドの顔から目鼻をなくしてのっぺらぼうにしたようなヒト型のクッションであり、頭部以外はクリオネに近い形状をしている。ハグビーは、頭部の耳のところにあるポケットに携帯電話を差して通話するという使い方をする。抱き枕のように柔らかい素材で作られ、子どもを抱っこしたときのような心地よさがある。利用者は、ハグビーを抱きかかえながら通話する。

もちろん、利用者の「触覚」に訴える、と言っても実際に抱いているのはハグビーであって人間を抱いているわけではない。そのような感覚を擬似的に抱かせることを狙ったものである。電話とヒト型クッションを合体させただけとも言えるこのハグビーだが、ストレスを緩和する効果もある。携帯電話のみを使った通話時とハグビーを抱いて通話したときを比較してみると、利用者の血中と唾液中のコルチゾール（ストレスを感じたときに分泌されるホルモン）の量が、ハグビーを使った場合に、有意に下がることが確認できた。

また、小学1年生を対象に、児童にハグビーを抱かせ、その状態で先生が本を読み聞かせるという実験をATRの住岡英信研究員（現・インタラクションダイナミクス研究室室長）と行ったこともある。こうすると

⑩Hugvie（ハグビー）を抱いて対話する人
ⓒ国際電気通信基礎技術研究所（ATR）、大阪大学

児童たちは先生の存在感を強烈に感じ、安心して話を聴くようになった。児童たちは読み聞かせが始まるまではお互いにじゃれあったりしていたが、ハグビーから声が聞こえ始めると、おしゃべりがぴたりと止まった。児童たちはハグビーから聞こえる声と柔らかい触感によって、おそらくは家族に抱かれたときのように安心し、落ち着いて話に集中できるようになったのだろう。先生が単にマイクを通じて話しかけても、こうした効果は得られない。

さらに同様の実験を幼稚園の年少の園児たちに試してみる前後に、ハグビーの絵を描いてもらったこともある。ハグビーは顔がないぬいぐるみだから、読み聞かせの前には誰も顔を描かなかった。ところがハグビーを使って話をしたあとには、ほとんどの園児が目や口など顔のあるハグビーを描いたのである。つまり園児たちはハグビーを「人間らしいもの」として認識したと言えるだろう。

これらの効果はハグビーの特徴である、「音声と触感」というモダリティの組み合わせがもたらしたものである。

昨今のメタバースやアバターを使ったライブ配信サービスでは、「よりリッチな空間にする」「人間に近づける」といった「情報量を増やす」ことが指向されがちだ。しかしテレノイドやハグビーのように、「引き算」によって操作者やコミュニケーション相手の想像力を促すという発想も、本当は重要なのだ。

◎自律型と遠隔操作型を両輪に研究することでアバター開発が加速する

僕らは自律型と遠隔操作型のアバターとを両輪に研究することで相乗効果を生み出し、ロボットの研究・開発を促進してきた。アバターを使った研究の成果を自律型に用いることで、より人間らしい振る舞いが可能になる。自律型の成果をアバターに持ち込むことで、より簡単に操作できるようになる（自律型と遠隔操作型を両輪とする研究開発の手法は、たとえCGアバターであっても変わらない）。

たとえばリプリーQ2は、愛知万博では来場者の位置や簡単なジェスチャーを認識し、ごく限られた質問には答えることができた。しかし実際に作って運用することで初めて、アンドロイドの性能を向上させるためには、対話相手の身振り手振りや視線の動きを含む大量の対話データが必要だとわかった。遠隔操作型のジェミノイドはもともと、こういった対話データを集めるために開発されたのだ。さらにジェミノイドから得られたデータは、後述するERICA（エリカ・口絵⑤）などの自律型アンドロイドの開発に活かされている。

逆にジェミノイドは、遠隔操作型だが自律型の技術を活かすことで「できるだけサボる」

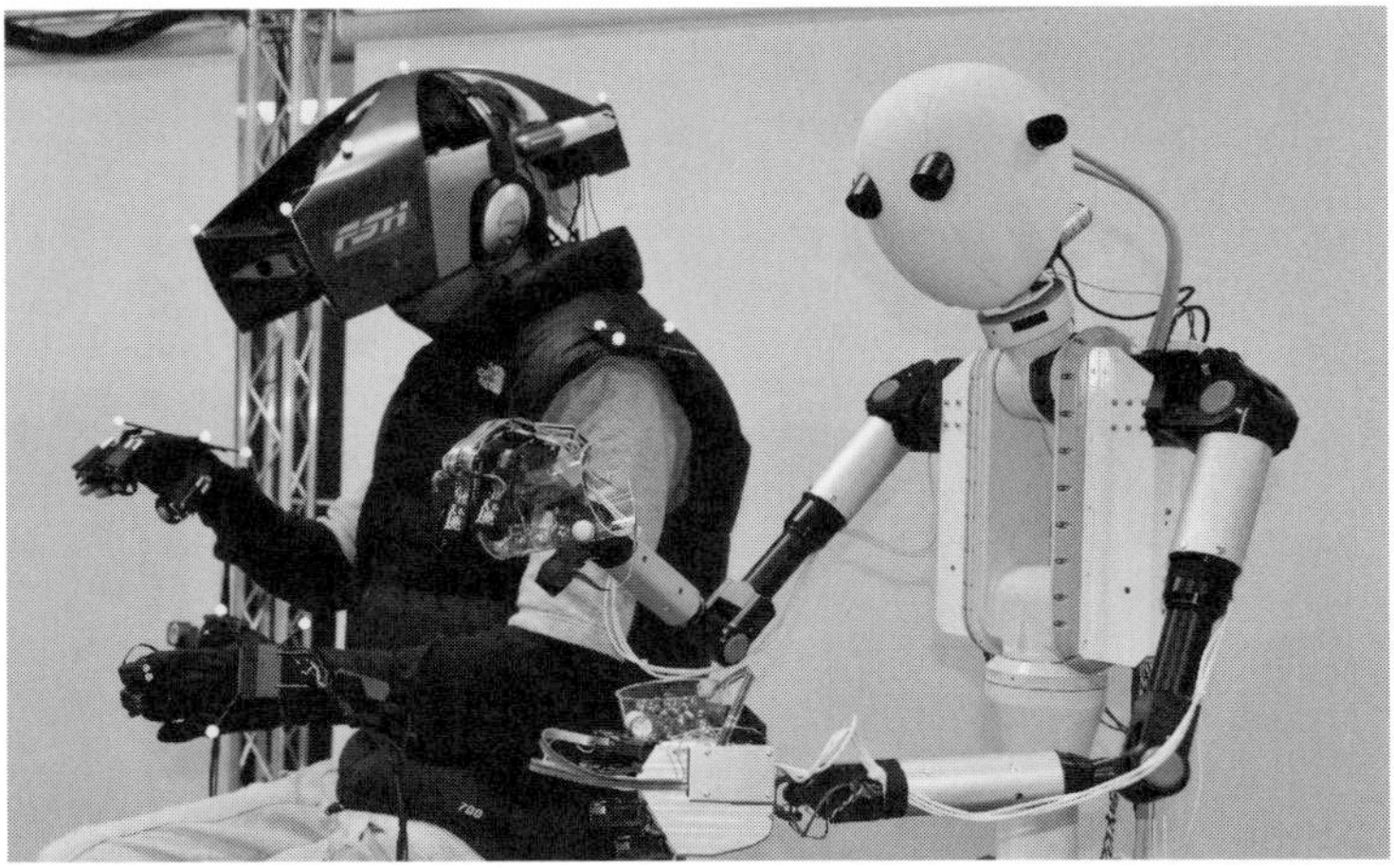

⑪テレイグジスタンス分身ロボット「TELESAR V」　写真提供：東京大学　舘研究室

「操作者を楽にする」ことを設計ポリシーに作られてもいる。どういうことか。

対照的な例として、テレイグジスタンス（遠隔存在）の考え方に基づいて、東京大学の舘暲《たちすすむ》名誉教授が中心となり開発した分身ロボット・テレサがある。テレサは操作者の運動をロボットに伝え、ロボットを使って得た感覚を操作者に戻す。したがって、たとえば操作者が座って手を振っていればテレサもまったく同じ動きをするし、テレサが感じた感覚が操作者に同じように戻ってくるので、操作者はロボットのいる場に存在しているような感覚を得ることができる。

一方のジェミノイドは、アバターと操作者の姿勢が違っていてもかまわない。操作時に意図をボタンで指示するなり、音声入力で「○○してほしい」と言えばアバターがその通りに「それらしい動き」を作り出して振る舞ってくれる。仮に僕が大学の研究室のソファに寝そべった状態で遠隔操作していても、ジェミノイドは身振り手振りを上手に使ってＴＥＤ（バンクーバーで開催されている世界的講演会）の出演者顔負けのスピーチをすることが可能である（もちろん、普段、実際にそういう態度でリモートで講演しているわけではない）。

このようにジェミノイドの指示ができたほうがいいと考えたのはなぜか。もし操作者の動作をカメラで認識し、操作者の動作がそのままジェミノイドに伝わるようにしたらどうなるか。技術的には可能だが、実際には操作しにくさを感じる。ジェミノイドは操作する人間の動作をまったく同じように再現することはできない。基本的には、座っている状態で手や頭を動かすといった限られた動きしかできないのだ。

というのも、ジェミノイドのように駆動部に空気アクチュエータ（空気圧で動くシリンダー）を用いたアンドロイドはギアを使ったロボットと異なり静かに動かすことができる反面、人間のように歩くことはできない。常に着座姿勢か立ち姿勢で、主に腰から上が稼働するに留まる。そうした動作を制限されたアンドロイドでも、腰から上を人間らしく稼働させるには40本から60本の空気アクチュエータが必要となり、制作費用はかなり高額になる。それ以上動かすことはコスト的にも技術的にも難しいのである。

したがって、もし操作する人の動作をそのままジェミノイドで再現しようとすると、操作者は「思うように動かせない」と窮屈に感じてしまう。だから以前ならば頭部や唇の動き以外はボタン操作、現行モデルでは頭部や唇の動きを含め、音声入力だけで伝えるようにしたのである。こうすれば操作者はしゃべること以外は何も気を遣わなくて済む。

加えて、このような操作方法であれば、操作者はどこにいても簡単に操作できるという、大きなメリットがある。操作者のいる環境とジェミノイドのいる環境はかなり異なり、操作者の動きがそのまま伝わると、別の環境にいるジェミノイドにとっては、無意味な動作になる。ゆえに、操作者の音声から動作を作り出せると、非常に楽に操作できるのである。

先ほど言った通り、僕をはじめとするロボット研究者が「アバター」と呼んでいるものは「特定のメタバース上でのみ稼働し、アニメやゲームのキャラクターのような見た目や動きをする、操作者のエージェント」ではない。ジェミノイドやテレノイド、ハグビーなどのように、現実世界を含む場所で多様な活動が可能な分身であり、見た目も絵やCGで作られたものとは限らない。

そして「遠隔操作」と言っても、Zoomを使ったウェブ会議のように通話中はPCやスマホの前にずっと張り付き、生身の姿を見せて話したり動いたりしなければいけないものとは限らない。自分の代わりに半自動（半自律）で働いてくれる機能を持ったものでもある。

アバター側に操作者の意図を十分汲み取る能力と、自律的に行動する能力があればあるほど、遠隔操作は楽になる。自律と遠隔操作の研究が両輪で進むことによって、人が人に何かを頼むように、ロボットにも簡単な指示を与えるだけで、あるいは多少曖昧な指示であっても目的を達成することができるようになっていく。

僕はなるべくなら授業や講演は基本的にジェミノイドに任せたいと思っている。それくらいに現行の技術でもフルスペックのアバターは優秀だ。決まった内容をプレゼンするのであればアバターのほうがはるかに上手にやってくれる。僕は質疑応答の時間にだけ入れば十分なのだ。また、僕がリアルで講演に出向くよりもアバターを事前に送って会場でセットアップしてもらうほうが依頼者のコストは安く済むというメリットもある（アバターのセットアップは、ほとんど誰でも簡単にできる）。僕に講演を依頼される人の多くが「アバターだけでなく本人も登壇してください」とおっしゃるのだが、「それではアバターを使う意味がない」とお伝えして、アバターの効果を実感してもらうためにも、僕自身が赴くことをお断りすることもある。

◎2010年に越えられなかったリモートワークの壁を、2020年には越えた

僕がIROSで1999年に発表した（おそらく）世界初の、人と関わる遠隔操作型ロボットは「こういうものがあれば、さまざまな場所でリモートで働ける」ということを示したものだった。

その約10年後の2010年ごろ、突如このタイプのロボットのブームが世界中で起こった。30社とも50社ともいわれる数の企業が遠隔操作型ロボット／アバター事業に参入したのだ。たとえばロボット用のソフトウェアROS（Robot Operating System）を作っていたウィローガレージという企業がある。この会社では、ロボット研究者・技術者がアバターを使って働く環境を実現していた。ウィローガレージはシリコンバレーにあった。エンジニアのなかにはテキサスに住みながら、シリコンバレーに置いたアバターを使って、テキサスからミーティングに参加したり、来客対応をする者もいた。彼らは物価が安いテキサスに住みながら、シリコンバレーでもらえるレベルの給与をもらっていたようだ。リモートワークではそういう暮らし方も実現できることを先駆的に実践していたのである。

——だが、このときは普及しなかった。アメリカですら、社会はリモートワークを受け入れなかった。くわえて、ロボットはスマートフォンやパソコンに比べて大型で可動部分が多く、壊れやすいという問題もあった。実環境内で自由に動き回るためには人間並みのセンサーも必要となる。ハードウェアにかかるコストが高いのである。結果、その後の10年ほどでほとんどの企業は撤退した。ウィローガレージも２０１４年に事業を停止している。

数少ない成功例が、病院で使う遠隔操作型ロボットを提供するインタッチ・ヘルス社だ。アメリカはホームドクター制だから、大きな装置が必要な検査を行うときには患者は医者といっしょに大病院に向かい、その医者が病院での検査結果を見ながら診察する。しかしこれでは診察時間より移動時間のほうがかかり、それもあって医者の都合が付かないことも少なくない。だから患者は病院に行くが、ホームドクターはアバターを使ってリモート診察する、という仕組みが機能した。国土の広いアメリカでは、日本と異なりオンライン診療、遠隔医療の規制が少ないことも幸いした。

けれどもほかには数えるほどしか遠隔操作型ロボットの事業者は生き残っていない。コンパクトで比較的安価な遠隔操作型ロボットアバターを提供するアメリカのダブル・ロボティクス社や、近年設立された日本のavatain（アバターイン）株式会社などが、今でも事業を継続している代表的な企業である。

だが、そうした淘汰《とうた》が進んだあとで、新型コロナウイルスの流行が始まった。

コロナ禍になって需要が爆発したのは遠隔操作型ロボットではなく、Zoom や Google Meet、Microsoft Teams のようなウェブ会議サービスであり、Slack、Discord といったチャットや音声コミュニケーションのツールだった。そしてこれらを併用したリモートワークが、全世界的に定着した。

２０２０年に始まった流行から時間が経《た》ち、ワクチン接種も進んで新型コロナウイルスの脅威が低減することで対面重視への揺り戻しも起こっている。とはいえ、かつてのような仕事のやり方、ライフスタイルに完全に戻ることはないだろう。今では働き方の選択肢のひとつとしてリモートワークは当然に存在する。世界に不可逆な変化が生じたのだ。

２０１０年に越えられなかったリモートワークに関するキャズム（大きな溝）を、２０２０年には確実に越えた。これは僕らが研究し、実証実験を行ってきたアバター技術が世の中に普及するために必要な、社会的な受容の準備が整ったことを意味する。

アバター共生社会の実現を早めるために、僕は２０２１年６月に新しい会社ＡＶＩＴＡ（アヴィータ）を設立した。

僕は過去の著作では「ロボットの社会実装はアバターから始まる」とは書いてこなかった。だからこの本の読者のなかには「いったいいつ方向転換したのか」と思いながらここまで読んできた人もいるだろう。

それはまさにコロナ禍が始まってから、つまり2020年以降のことだ。Zoomなどが一挙に普及したことで「アバターなら社会実装が一気に進められる」と直感し、覚悟を決めたのである（新しく設立した会社AVITAについては、第四章で詳しく書く）。

コロナ禍以前の僕は、いかにして自律型ロボットを作るか、あるいは「知能とは何か」といった問いや、「存在感」をロボットに持たせるにはどうしたらいいかといった研究を重視していた。しかし2020年代に入って社会が急激に変化するのを見て「ロボットで世の中を変えるなら、アバターから始めるしかない」と思ったのである。

ある技術が普及するためには、世の中を変えるような影響力の強いキラーアプリが必要になる。また、それを受け入れるだけの社会的な需要の高まりも必要だ。たとえばパソコンを世界中で誰もが使うようになったのは、インターネットの台頭以降のことだろう。さまざまなサイトを閲覧できるブラウザができ、Eメールによって遠隔地の相手にもきわめて安価に即時のやり取りができるようになった。こうしたサービスの登場が、普及のカギとなった。

ロボットは、1990年代以降のパソコンのように安く高性能なものを多くの人に届けることもまだできていないし、くわえてキラーアプリがどんなものになるかが長らくはっきりしていなかった。だがアバターサービスはキラーアプリとして、ロボットの社会実装をもたらす前駆になりうる。

もちろん、こう言っても懐疑論があることは承知している。たとえばガートナーが毎年発表している「先進テクノロジーのハイプ・サイクル」では、アバター関連技術は２０２１年に人間の姿にそっくりのＡＩアバターである「デジタル・ヒューマン」が入ったくらいで、そこまで社会的に注目されていない。しかし、そもそもハイプ・サイクルが扱っているのは世の中の人が考える情報的な価値にすぎず、実用性や実際の普及度合いとは関係がない。現にZoomやSlackのようなサービスは２０２０年以前にはそれほど注目度が高かったわけではないが、一気に広まった。

あるいは「コロナ禍では家庭用のペットロボット、愛玩用ロボットも注目されたが、普及は一部に留まっている。アバターも同じではないか」という意見もあるだろう。しかしペットロボットには既存のペットに対する優位性が必要であると同時に、圧倒的な生命感（生き物らしさ）が求められる。しかしＡＩでそれを作り出すのは難しいという根本的な課題が今もある。Ｓ社が開発した犬型ロボットは、中身も見かけや動きも生身のペットには及ばないものだったし、ペットショップで流通することもほとんどなかったため、ペット産業をリプレイス（置換）することはできなかった。

一方、僕らが提供するアバターの中身は、ＡＩの部分もあるが、人間もリモート操作を通して中に入る。だからアバターは十分に人間らしく感じられ、人間レベルないしは人間以上のサービスを行うことができる。アバターの選択や使い方を間違えなければ、アバターの受け手が、人間が応対した場合と比べて「劣ったサービスだ」と認識することはある程度は避けられる。むしろ本書で後述していくように、アバターのほうが高評価を受けるケースすらいくつもある。また、操作者の立場からしても、ディスプレイなどに映しさえすれば瞬時に遠隔地に行くことができ、通勤しなくて済むという利点がある。コロナ禍によって労働環境を変えようという気運が高まり、一般化しつつあるテレワークの延長だから、需要も高まっている。これまでの仕事を置き換える可能性が十分にあるのだ。あくまで余暇利用に留まるペットロボットとは異なり、ビジネスでも大きな需要が見込まれる上に、導入自体の難易度は決して高くない。今、アクセルを踏まずに、いつ踏むのか、というくらいのチャンスが到来しているのである。

Zoom や Slack といった既存のサービスの限界も、リアルのみの働き方の限界もともに見えた今だからこそ、より使いやすく、高度な機能を持つアバターを活用したリモートワークが、潜在的に待ち望まれている。

◎アバター共生社会では誰もが実世界で生身の見た目に縛られずに働ける

もっとも、アバター共生社会の実現には「リモートワークを社会が許容する」ことに加えて、もうひとつ越えなければいけないハードルがある。

それは「生身の本人とは違う見かけになる」ということを社会が受け入れることだ。その状態で働き、学び、生きることを許容する社会になる必要がある。

Zoomなどのウェブ会議サービスでは、カメラをオフにしたり、背景を変えたりすることはできるが、自分の姿を映すか映さないか、どちらかしか選択できない。一方で、VRChatやセカンドライフ、Robloxなどのメタバース空間では、人それぞれに好きな見かけのCGアバターを使い、好きなアカウント名で活動できるものの、そこでできるビジネスや趣味の活動、表現は今のところ限定されている。あるいは、ビジネスユースは不可能ではないものの、その空間への参加者が少ないなどの理由で、それほど活発な経済活動が行われていない、というケースもある。

また逆に、ビットコインやイーサリアムなどの暗号資産を用いて取引されるNFT（Non-

Fungible Token：非代替性トークン）を用いたThe Sandboxなどのゲームやサービスでは、少数の人たちが時には高額にもなるデータ（主にユーザーの創作物である画像）を、商品として活発に流通させている。ただし今までのところは投機ないしは一部の好事家の遊びであり、扱える商材も限定されているため、やはり一般の人が広く日常的に行う商業活動とは言いがたい。

これらに対して僕らが目指しているものは「メタバースの中で現実世界並みの経済活動ができる社会」ではない。「実世界でアバターを用いて、異なる外見でも活動することが当たり前になる社会」だ。

これが実現すると、現実で生身で働くことと比べても、またメタバース上でのビジネスと比べても大きなメリットがある。このことを本書を通じてみなさんに知ってもらい、体験したいという気持ちを喚起することで、アバター共生社会の実現を加速させたい。

では、生身の本人と違う見かけで活動することには、どんなメリットがあるのか。

まずメタバース上で行うビジネスとの違いとして、現実世界と別の空間を用意する必要がない。３Ｄ空間を作り、運用するためのコストもスタッフもいらない。ＡＲ（Augmented Reality：拡張現実）のように現実空間にデジタルデータを付与して重ね合わせる必要もない。空間を新たに作ったりいじったりしなくていい。もちろん、ＶＲ（Virtual Reality：仮想現実）やＡＲと組み合わせてもいいが、その場合でも基本的には用意するのはＣＧのアバターだけでいい。アバターがあれば、すでにある現実空間を利用して多様な活動が行える。現実を舞台にしているから当然、さまざまなビジネスができる。店頭でものを売ったり、プレゼンや講義をしたり、カウンセリングやコンサルティングだってできる。もちろん物理的な手足がないアバターでは、現実空間で「ものを作る」ことなど、できないこともあるが、その点はほかのリモートワークと変わらない。

では、現実空間で生身の人間がその場にいて活動するより、アバターを使ったほうがいいことにはどんなことがあるか。「リアルでする対話が一番いい」かどうかはケースバイケースだ。たとえば先ほども述べたように、テレノイドの利用者に感想を尋ねると、「対面よりも話しやすい」と答える人が少なくなかった。

また、時と場所に応じて事業者や労働者が最適な見かけのアバターを用意すれば、生身の本人の見た目に左右されずに働けるようになるのも大きなメリットと言える。

たとえば社会養育ロボット「Ibuki（イブキ）」を例に挙げよう。２０１９年に開発された移動型子ども型アンドロイドのIbukiは、僕らと電気通信大学情報理工学研究科・仲田佳弘准教授の研究室とが、科学技術振興機構（ＪＳＴ）の戦略的創造推進事業において「ＲＡＴＯ石黒共生ヒューマンロボットインタラクションプロジェクト」（２０１４年７月から２０２

1年3月まで）で取り組んでいた。基本的に自律型であって遠隔操作型ではない。だが社会におけるアバターのありように対しても示唆に富んだ存在だから紹介しておきたい。

Ibukiは、車輪を使って移動できる子ども型アンドロイドである。人間が歩くときに生じる「肩が上下して揺れる」という動きを再現しており、Ibukiと並んで移動する人は、人間と歩いているような感覚になる。Ibukiは顔と手だけは人間そっくりのリアルな造形をしているが、それ以外は機械の身体が剝《む》き出しになっており、黒い服を着ることで機械の身体を一部隠している。それでも表情と手の動きが人間の子どもらしければ、相対した人はみな「子どもだ」と思って優しく接してくれる。Ibukiは顔認識機能を有しており、誰かが近づいてくると笑いかけ、手を振る。これが非常にかわいらしい印象を与える。

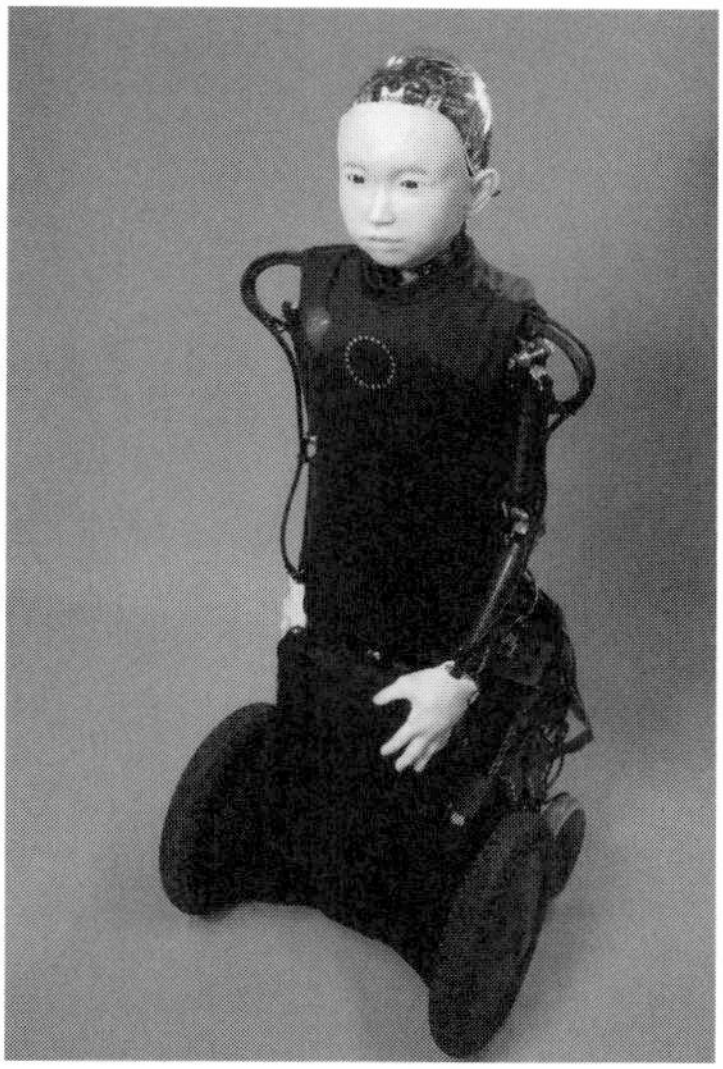

⑫車輪を使って移動する自律型子どもアンドロイドIbuki（イブキ）
ⓒ大阪大学

だが、なぜ子どもの姿形をしているのか。小さいロボットのほうが、大きいロボットよりも人間がぶつかりケガをする危険性が下がる。また、人間は大人よりも子どもに対して温和に接する。大人の見かけや声質などをしたアンドロイドには、人は大人並みの知能を求めてしまう。しかし子どもであれば過度な期待が抱かれずに済み、社会で受け入れられやすくなる。

僕はかつて自分の娘が4歳のときに娘の姿をかたどったアンドロイドを作ったことがあったが、うしろからこのアンドロイドを抱きかかえようと頬に顔を近づけると、小さな子どものにおいがしたことがあった。人間らしい姿かたちは、実装していないはずのにおいまで再現してしまう。それくらい子どもに対する人間の刷り込みは強く、子どものかたちをしたアバターに対して、成人型とは異なる反応をするのである。

このようにアバターは、提供する機能や受け手から求められる役割に対して、適した見た目を選べば良いのである。大人よりも子どもの見かけのほうが好まれる場ではそうすればいいし、医療機関で働くアバターならば清潔で誠実、頼りがいがあって寄り添ってくれそうな見かけがいいだろう。また、遊園地で稼働するアバターなら、明るく楽しそうなほうがいいだろう。

人々が見かけに対して抱くステレオタイプを踏まえた、顔かたちや声質をしたアバターを利用して働くことが一般化すれば、たとえば生身の身体、生身の姿形での対応では心身に負担の大きい、クレーム対応などの仕事に従事している人間の働きやすさを、大幅に改善してくれるだろう。たとえば今言ったように、かわいらしい子どもや弱々しい外見をしたアバターに対して怒りをぶつけ続けることは、多くの人にとってなかなか難しいことだからだ。

もちろん、人々が抱くステレオタイプは必ずしも実態を反映したものではないし、表象された側にとっては偏見でしかなく、差別につながっているものもたくさんある。したがってアバターの作成者や利用者は、人種や性別、年齢、文化などに関する社会的な偏見、負のレッテルを再生産しないよう配慮しなければならない。

だがそうした考慮をしっかりとすれば、アバターを使えば本人の見た目に縛られずに働ける。これは大きなメリットになる。

◎自律的に対話も行えるアバター――エリカ、コミューとソータ

アバターを使えば、生身の人間以上に効率的に仕事を進められるため、少ない人数でも仕事の幅を広げることができる。

先に、ジェミノイドは自律で講演や講義ができるという話を紹介した。今では一方的に語るだけでなく、文脈や空間を限定すれば対話すらも自律でできるようになってきている。

たとえば自律型の対話アンドロイドとして僕らが2015年8月に発表したERICA（エリカ・口絵⑤）を紹介しよう。エリカは、Ibukiと同じく「ERATO石黒共生ヒューマンロボットインタラクションプロジェクト」で開発された。開発には京都大学の河原達也教授やJST、国際電気通信基礎技術研究所（ATR）が関わった。

本書では詳細を省くが、エリカには「意図」や「欲求」を持たせており、その構造は理化学研究所の港隆史《たかし》研究員（当時ATR研究員）、ATRの境くりま研究員、船山智《とも》研究技術員、山口大学の小山虎《とら》講師（当時大阪大学特任助教）などとともに、数年の議論と実装を通して作り上げた（詳しく知りたい方は僕の『ロボットと人間』〔岩波新書〕などを参照してもらいたい）。

なぜ自律型のアバターに、意図や欲求があったほうが望ましいのか。たとえばAmazonが開発したAlexaなどのスマートスピーカーと人間の関係と比べてみよう。スマートスピーカーに対しては、人間は命令を与える一方的な関係にある。しかし一方的な命令の伝え方では、命令に曖昧さがある場合、スマートスピーカーは命令を正しく理解できない。たとえば人間から「今の気分に合う音楽かけて」と言われても「今の気分」を把握する方法がないので、ユーザーの履歴から適当に曲をかけるほかない。また、音声認識は常に完璧に行われるわけではなく、時には間違って命令が伝わってしまう。しかし、アバターが自ら意図や欲求を持ち、高度な自律機能を有している場合にはどうであろうか。人間を支援したいという意図や欲求をアバターが持てば、たとえ音声による命令に曖昧さがあっても、また音声認識が正確でなくても、致命的なミスは起こりにくくなる。「お菓子1個買っといて」という命令を「お箸10個買っといて」と聞き間違えたとしても前後の文脈から「お箸を10個ですか？　お箸、で合っていますか？　多すぎませんか」と確認してくれるようになる。

意図と欲求を実装したエリカは、初対面の人間とは5分から10分程度、十分に話せる性能を持っている。エリカはジェミノイド同様の人間酷似型のデザインだが、特定のモデルは存在しない。身長は立位時166センチ。左右の眼球にカメラを搭載し、左右の耳にはマイクが内蔵されている。声は合成音声だが、声優の音声を1か月近くかけて収録し、録音した声を音素に分解し、再合成することで、人間の声と区別がほとんどつかないレベルに引き上げている。

エリカはＡＴＲのロビーで来訪者の話相手として稼働している。対話終了後に「遠隔操作されていると思いますか」と尋ねると、約半分の人が「どちらかと言えばそう思う」と答える。実際にはエリカはすべて自律型なのだが、それくらい人間らしくしゃべれるアンドロイドがすでに実現している。これまでは「ロボットが接客対応する」と言うと、話しかけた人間の言葉を聞き取れなくて、とんちんかんなことを言ったりしていた。しかしエリカは、状

⑬ERICA（エリカ）と人間がコミュニケーションを取っている様子
ⓒ国際電気通信基礎技術研究所（ATR）

況や目的が限定されているものの、かなり人間らしく対話ができる。

Siriやスマートスピーカーを日常的に利用している人ならおわかりだろうが、ＡＩやロボットが自律的に行動するのが難しいのが、人との対話である。本体に取り付けてあるマイクを通じての音声認識は、マイクと発話者との距離が離れるほどに雑音が入るリスクが高まり、難しくなっていく。ショッピングモールなどの非常に雑音が多い空間でロボットを稼働させる場合は、音声認識のみではロボットと人とのコミュニケーションに困難が生じるため、タッチパネルを組み合わせるといった手法が用いられてきた。

だがエリカは、比較的静かな空間において話題を絞りさえすれば、簡単な対話は自律して行うことがすでに可能になっている。人間の仕事は、相手に語りかけて情報を伝えること、相手から聞いて答えるという言葉のキャッチボールで成り立っている部分が少なくないが、この一部もロボットアバターは代替してくれる。

また、自律的に対話を行う機能を持つ家庭用ロボットとして実証実験を進めてきた「Sota（ソータ）」と「CommU（コミュー）」についても紹介しておこう。

ソータは僕が2000年に仲間といっしょに立ち上げたヴイストン株式会社（Vstone）で開発したロボットである。ソータには複数のマイクを組み合わせて認識率を高めるNTTが開発したマイクロフォンアレイを搭載している。コミューもソータも約30センチで1キロ弱の小型のかわいらしいデザインになっている。

⑭自律的な対話機能を持つ家庭用ロボット、Sota（ソータ）
ⓒヴイストン株式会社

スペックは近いが、コミューは研究者向け、ソータは家庭用という位置づけである。

たとえばソータは家の中でひとり暮らしの女性の話し相手になったり、英語の練習相手

⑮主に研究者に使用される、自律的な対話機能を持つロボット、CommU（コミュー）
ⓒ大阪大学

になったりするようなサービスを想定して開発されており、天気の話を交わす程度の雑談ができる。Amazon の Alexa や Apple の Siri のようなスマートスピーカー、バーチャルアシスタントとの対話が多少高度になった（と感じられる）ものだと思ってもらえればいいだろう。

一方のコミューでは、たとえば僕の共同研究者である長崎大学大学院医歯薬学総合研究科の熊崎博一《ひろかず》教授と、大阪大学の石黒研究室に所属する吉川雄一郎准教授とが、自閉スペクトラム症（ＡＳＤ）専門病院で、遠隔操作ロボットを用いたＡＳＤ児の療育の実証実験に取り組んでいる。

エリカのように静謐《せいひつ》な環境を用意すれば十分に音声認識はできるようになってきたが、

それでも筋肉の衰えから滑舌が良くない人が話した場合や、雑音が多い環境では、現状のマイクや音声認識の技術では、話しかけた人が何を言っているのか聞き取れないことがまだ起こってしまう。だがそうなると、話しかけた側は「会話が途切れた」「このロボットは自分のことを理解してくれない」と感じ、不満を抱く。

コミューにはそうならずに「対話している感じ」が得られるような工夫が施されている。このロボットの特徴は、2体並んで人間に向き合い、人間も含めると三者での会話というかたちを取ることにある。人間の集団での会話では、自分がそれほど言葉を発していなくても、ほかの人間同士がやり取りしていれば「会話に参加している」という感覚が得られる。これを応用して、コミューは基本的には隣にいるロボットに話を振り、時折、人間に話を振る。ここで人間が返した言葉をコミューが仮にうまく認識できなかったとしても、「ところでさあ」などと言ってまたロボット同士が話を進めていくことで、延々対話を続けることが可能になる。その結果、利用している人間は「このロボットは私の言うことを全然わかってくれない」「話ができない」といった感覚を抱かずに済む。

また、ロボットと人間が一対一で対話する場合、ロボットからの質問に人間がどのように答えていいかわからず（あるいはその逆が生じて）、不自然な沈黙が生まれて話が途切れてしまうことがある。しかしロボット同士が対話してくれれば、どのように答えればいいかの例を示すことができ、人間が返答しやすい状況を作ることもできる。

こういった対話の技術をアバターにも実装すれば、ちょっとした待ち時間のヒマつぶしの役割も果たしてくれるようになる。人間を置いておかなくても「寂しい」「退屈だ」と感じさせずに済む場所を増やすことができる。

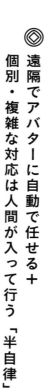

◎遠隔でアバターに自動で任せる＋個別・複雑な対応は人間が入って行う「半自律」

そして、別にすべてをＡＩに任せる必要はない。基本的にはロボットアバターに自律型で接客対応や商品説明をやってもらい、ＡＩが対応しきれないややこしい場面になった段階で遠隔操作に切り替えるという「半自律」が実現できれば、十分効率的に仕事ができる。ひとりで複数のアバターを同時に使い、生身の人間が働く以上の生産性向上を図ることもできる。

「半自律」とは、ロボットアバターが完全に自らの判断だけで動くのではなく、時折、人間がインターネットから介入して認識や行動を助ける仕組みを、導入しているという意味である。

僕らが実際に開発した道案内ロボットの事例を紹介したい。このロボットを動かすにあたっては、稼働する環境（空間）にレーザーで人の位置を検出する「レーザーレンジファインダ」と、多数のカメラを取り付けた。カメラだけでは日の光の当たり具合によって時には人を見失ってしまうが、レーザーレンジファインダを用いれば見失うことはないからだ。このセンサーネットワークによって、確実に人の動きやロボットの動きを追跡することができる。さらにレーザーレンジファインダで人を発見・追跡しながらカメラで表情を認識することで、その場にいる人の感情も推定できる。このセンサーネットワークの情報を受けて、ロボットは自律的に行動する。ロボットの役目は道に迷っていそうな人をセンサーネットワークで探し出し、人間追跡機能によって近づいて道案内をすることだ。その人が移動する方向も予測できるため、ロボットはその人とちょうど出会いそうな場所に移動できる。ここまでは自律的に動き、ロボットが自律的に行動するのが難しかった人との対話の部分になると、人間が遠隔操作で入っていた。

このように、アバター共生社会では「完全に自律」（ＡＩに任せっぱなし）か「完全に遠隔操作」（人間が常に張り付く）かの二択ではなく、委ねられるところはＡＩに委ね、人間が入る必要がある場合、入ったほうがいい場合は入る、という「半自律」型が当面、基本になるだろう。ＡＩが発達するほどに自律で対応できる部分が増え、さらに効率的になっていく。ＡＩと人間を組み合わせれば、事故は起きづらくなり、仕事はスムーズに運ぶようになり、受け手の不満も減るのである。

◎シーンや個々人の適性に合った多様なモダリティの組み合わせを選択できる

さらに言えば、アバターには「見かけ」を変えられるようになるだけでなく、用途や操作者の適性に合わせたモダリティの組み合わせを選択できるようになる利点もある。「見かけと音声」（テレノイド）、「音声と触感」（ハグビー）のようにモダリティを絞って組み合わせたアバターが多様にありうる。視覚や聴覚以外のモダリティに訴えかけるものもあっていい。VR上でも触覚の追求はできるし、実世界で稼働するものであれば、可能性としては味覚や嗅覚とそれ以外のモダリティを組み合わせたアバターもありうる。

たとえば、VRに対してよく「没入感」という言葉が用いられる。VRのように視覚と聴覚に訴えかける没入感もあるが、ハグビーを使った読み聞かせのように聴覚と触覚に訴えかける没入感もある。用途に合わせて、受け手に訴求するモダリティの選択、アバターが有する情報量の多寡、見かけや音や触り心地などの質感を現実世界にどれだけ寄せるか、アニメやゲームに寄せるか……などといった組み合わせを選ぶことができる。

また、テレノイドのところで説明したように、姿を見せたくない人は見せなくて済むアバターを用いることができるなど、操作者の事情、希望に沿ったモダリティの選択ができるようになれば、生きやすい社会の実現にもつながるだろう。

さて、ここまでの話でアバターの実世界での利用が当たり前になった社会がどんなものなのか、輪郭が見えてきたはずだ。そして研究はかなり進んできており、現在の技術でも相当程度実現可能なものであり、アバターの社会実装は決して夢物語ではないこともわかっていただけただろう。

次の章では僕らが実現したいと考えているアバター共生社会について、もう少し広い視点から描いていきたいと思う。

第二章

アバター共生社会が目指すもの

FUTURE SOCIETY IN HARMONY WITH AVATARS

FUTURE SOCIETY IN HARMONY WITH AVATARS

◎２０５０年のアバター共生社会を想像してみよう

アバター共生社会では、たとえばこんな未来が現実のものになる。いくつかのケースに分けて考えてみよう。

❶未来の学校の先生——40歳女性

ハワイ在住の彼女は、ある日の午前には自宅リビングから高性能アバターに入り、バルセロナのティビダボの丘を旅行している。サマータイムなのでハワイとバルセロナの時差は11時間。スペインの夜景を楽しみながら、彼女は現地の人と会話を交わす。女性が生身の身体でひとりで夜間に出歩くことには、身の危険が伴う。それゆえ行動が慎重にならざるをえない。だがこのアバターは女性らしさを排除した中性的な外見をしており、また、現地のガイドがアバターのそばに付き添ってくれているため、安心して街並みを楽しむことができる。アバターを通しての旅が大変気に入った彼女は、友人を誘っていつか実際に生身で旅行して

イラスト／三品太智

みたいと思う。

昼食は、地元の大学に通っていたころからの男友だちと近所のカフェで——ただし、モニター越しに。持病があってキャンパスに来ていなかったその友人とは、生身で会ったことはまだなく、お互い長年使っているCGアバターしか知らない。だが顔も知らず、直接会わないからこそ言いやすい話題もあり、気安い関係が続いている。

教師である彼女の姉は歌手であり、彼女は自分も歌手になりたかった。その想《おも》いの名残から、彼女はCGアバターではディーバ（歌姫）のような外見を用いている。アバターは自らの理想を投影し、ある意味では生まれ変わり願望を満たすことができるものでもある。

午後は、自分の生身の姿をベースにしたアバターを用いて、自宅の仕事部屋から教師の仕事に遠隔で従事する。実空間の教室に教師型のロボットが置かれてリアルで受講している生徒がいる場合もあるものの、今日はリモートでディスプレイ越しに受講している人しかいない。実際の彼女はカジュアルな服装だが、教師としての立場にふさわしいスーツ姿が、受講者たちのモニターには映し出される。

彼女は中等・高等教育課程の数学と物理を教えており、生徒・学生は世界中にいる。勤め先の学校のカリキュラムに沿った定型的な学習内容はアバターが8割ほど自動で行い、彼女は主に個別対応が必要な部分に遠隔操作で入って対応する。その際にもモラルコンピューティング機能によって発言内容や言い回しが自動修正され、常に丁寧な対応が行われる。彼女は専門的なことを語る際、やや早口になってしまうクセがある。ゆえにこうした補助機能が受講者の役に立っている。また、スピーカーの話し方や身振り手振りに関しても補正表示機能があり、受講者には説得力のある姿が映し出される。

仕事を終えた彼女は、夕食をとりながら自宅リビングにて幼少期からの親友とAR（拡張現実）機能を搭載したテレプレゼンス（遠隔地の相手とその場で同じ空間を共有して対面しているような臨場感を提供する技術）端末を使って時間を過ごす。互いによく知った関係なので生身の身体を投影しあっているが、背景はふたりの想い出の空間をAR技術によってそれぞれの部屋に再現している。彼女は午前中に高性能アバターで旅行した土地で撮影した3Dデータを親友に共有し、次の長期休暇にリアルでいっしょに行く旅行の候補地として提案する。

ただ中学時代の同窓会イベントでは、みなが当時作成した自分の移し姿である等身大アバターに入って再会をすることもある。中年の大人が中学生のときの外見に戻って過ごすのだ。このように、アバターはある意味では永遠の若さを可能にするものでもある。

❷未来のセキュリティガード――75歳男性

ブラジルに夫婦で住む高齢者。

彼の仕事は時差を利用して、ブラジルの日中、日本の深夜にビルや地域の警備をすることだ。自宅近くにある事務所から、多数のアバターを数人の同僚と共に操作する。アバター警備員は化学物質や放射性物質で汚染された場所やきわめて狭い場所、高所など、人間が容易には入り込めないところにまで配置が可能だ。彼は以前、火器で武装したアバターを用いた強盗と警備中に遭遇したことがあり、今日も油断せずに見回りを行う。

生身の身体の能力が衰えても、アバターを使った仕事は可能だ。肉体労働もそうだし、知的労働もそうだ。アメリカなどの国では、20世紀から年齢による採用の差別が違法とされてきた。とはいえ雇用してみて実際に務まらなければ解雇された。アバターが普及することで、日本のような年齢差別が激しい国ですら「定年」という概念が希薄化していったのだ。能力がある人たちはアバターのおかげで見た目、実年齢に左右されずに働けるようになった。若くて優秀な人は早く認められるようになり、一方で、アバターが老いによる衰えを軽減するがゆえに、特定の人物がリーダーとして君臨できる期間も延び、従来以上に長期政権が続く組織も生まれた。「世代交代」はある部分では促進され、ある部分では起きにくくなったのだ。

イラスト／三品太智

警備員として働く75歳の彼も、まだまだアクティブだ。

明け方に仕事が終わると家に戻り、夫婦で朝食をとる。

そのまま午前中は日本の自然豊かな観光地のガイドとして、ブラジルからアバターで世界各国からの旅行者をアテンドするボランティアに参加する。彼にとってはこれが週に一度の楽しみになっている。

20世紀初頭に日本からブラジルへと移民した日系ブラジル人家系に生まれた彼は、自身のルーツを知るために40歳で日本語と日本文化を勉強し始め、いくつかの資格を取得した。60歳前後からその知識を活かしてリモートで日本で働いたり、ボランティアをしたりしている。


……いかがだろうか。
❶と❷は現在の技術を元に考えた未来予想であり、アバターの多様な見かけを使い分けることで可能になる活動や、時差を利用することで地理的制約を超えることが可能になることを示したものだ。
なお、❶で言及した、アバターに抑揚の利いた身体表現を行わせるノウハウはすでに存在する。人間の生身の身体では、トレーニングを積まないとジェスチャーを伴いながら上手にプレゼンすることは難しい。ところがアバターにプログラムを書けば、自分自身が生身です

るよりもはるかに豊かに視線や身体の動きを使ってプレゼンできる。プレゼン用の身体の使い方を訓練されていない人であれば、プロの所作を元にプログラミングしてジェミノイドなどのアバターにやらせたほうがよほどうまく観客に伝えられるのである。

また、アバターを用いて匿名・偽名で働いたほうが、労働者（操作者）の安全を確保できる。たとえば❷で挙げたような警備員や、警察などの仕事では、時に危険なことも起きる。だがアバターなら万が一破壊されても本人の安全を保証できる。実際には警備用のアバターロボットは人間以上に屈強に設計するはずだから、簡単に壊れることはないだろうが、近未来においては犯罪者側が銃火器で武装したアバターを用いないとも言えないため、なおさらアバター警備のほうが望ましいだろう。

◎ムーンショットが目指すもの

さて、このようなアバター技術が可能にする未来への実現に向けて、日本では国家予算を使った大型プロジェクトが進行している。

僕は、２０２０年度に始まった、国立研究開発法人科学技術振興機構（ＪＳＴ）のムーンショット型研究開発事業（ムーンショット20）にプロジェクトマネージャーとして参画している。これは日本発の破壊的イノベーションの創出を目指し、従来技術の延長にはない、より大胆な発想に基づく挑戦的な研究開発（ムーンショット）を推進する国の大型研究プログラムである。ここでは２０５０年まで（7番目のみ２０４０年まで）の達成を目指す、９つの目標が掲げられている。

1. 人が身体、脳、空間、時間の制約から解放された社会を実現
2. 超早期に疾患の予測・予防をすることができる社会を実現
3. ＡＩとロボットの共進化により、自ら学習・行動し人と共生するロボットを実現
4. 地球環境再生に向けた持続可能な資源循環を実現
5. 未利用の生物機能等のフル活用により、地球規模でムリ・ムダのない持続的な食料供給産業を創出
6. 経済・産業・安全保障を飛躍的に発展させる誤り耐性型汎用量子コンピュータを実現
7. 主要な疾患を予防・克服し１００歳まで健康不安なく人生を楽しむためのサステイナブルな医療・介護システムを実現
8. 激甚化しつつある台風や豪雨を制御し極端風水害の脅威から解放された安全安心な社会

を実現

9．こころの安らぎや活力を増大することで、精神的に豊かで躍動的な社会を実現

このうち1番目はまさにアバター共生社会が目指すものだ。

ムーンショットの目標1は、僕と株式会社ＡＲＡＹＡの金井良太代表、慶應義塾大学大学院メディアデザイン研究科の南澤孝太教授の３人がプロジェクトマネージャーとして目下取り組んでいる。このプロジェクトでは、より詳しく言えば、

・高齢者や障がい者を含む誰もが、多数のサイバネティック・アバター（ＣＡ）を用いて、身体的・認知・知覚能力を拡張しながら、常人を超えた能力でさまざまな活動に自在に参加できるようになる

・いつでもどこでも仕事や学習ができ、通勤通学は最小限にして、自由な時間が十分に取れるようになる

このふたつの実現を目指している。これらを具体化すると、本章冒頭の❶❷で掲げた40歳の女性や75歳の男性のイメージのようなものになる。この目標が意図するところを解説して

みよう。

日本では少子高齢化が進み、労働力不足が懸念される。こうした状況下では、すでにフルタイムで働いている人たちに加え、介護や育児をする必要がある人や高齢者などの、さまざまな背景や価値観を持つ人々が、自らのライフスタイルに応じて、さまざまな活動に参画できるようにすること――言いかえれば人間が身体、脳、空間、時間の制約から解放された社会を実現することが、必要不可欠である。

そしてその社会の実現のために、ロボットやAI関連の一連の技術を活用し、人の身体的能力、認知能力および知覚能力を拡張するサイバネティック・アバター（人工知能技術と融合してより発展したアバター）技術を、未来の社会通念を予測しながら研究開発していく。これがムーンショットの目標だ。

一言で言えば「誰もが自在に活躍できるアバター共生社会の実現」である。

２０５０年にはテクノロジーの力で今日以上に人間の能力が拡張され、人々の生活様式が劇的に変わる。誰もが複数のアバターを自在に遠隔操作し、現場に行かなくても多様な仕事、教育、医療、社会活動に参画できる。

ここで言う「自在」とは、アバターが操作者の意図を汲み取りながら、思い通りに活動できる状態を意味する。ひとりの人間が複数のアバターを利用するには、アバターが自律的にタスクをこなす機能を持つ必要がある。そうでなければ、人間は一体のアバターに張り付いてずっと操作していなければならなくなり、生産性向上の度合いは限定的になる。だからアバターを半自律的に活用し、時にはひとりの人間が並行して複数体のアバターを操作する。①の教師の例で挙げたように、決まり切った動きやプレゼンに関しては自動で行い、細かく複雑な動作が必要なときや定型的ではない質問に答えるときには、人間が中に入って行う、といったように。このときアバターは操作者の意図を無視して自律的に活動するのではなく、操作者の意図を汲んで自律的に活動する。狙った通りに遠隔操作ができ、また、意図した通りに自律的に動いてくれる――これを指して「自在」と呼んでいる。

では、たとえば「誰もが自在に活躍できるアバター共生社会」が実現した際にはどうなるか。冒頭に掲げたのは労働や観光の未来だったが、ほかにも2050年の社会の姿を考えてみよう。

◎教育の近未来――時間と場所を選ばず家庭教師モデルで学べる

たとえば望ましい教育の未来とは、どんなものだろうか。

現在の学校制度で最もポピュラーに取り入れられているのは、ひとりの教師が多数の生徒に講義する一斉教授法である。この教え方は、近代国家が整備した学校制度において普及した。工業化社会が訪れ、一定の知識・能力と集団行動のリテラシーを有した工場労働者が大量に必要になったからだ。日本では、近世（江戸時代）の寺子屋は個別学習・個別指導だった。すべての子どもに同じカリキュラムで同じ進度で、一度の講義で多数を相手に教えていたわけではなかったのである。われわれにとって身近と言える近代的な一斉教授法は、集団に対して均質的な知識を注入できる点で効率的である。しかし実際には、学習の前提となる知識や理解力、応用力は人によって大きく異なる。だから授業を受けている側にとっては、一斉に教えられることは決して効率的ではない。予算や人的リソースが許すのであれば、現在でもひとりひとりの習熟度に合わせて個別最適化された、家庭教師モデルでの教育をすべての人が受けられることが理想的である。けれども現実には、家庭教師を雇うことができるのは基本的には一定以上裕福な人間だけだ。

だが前章で説明した半自律型の対話型システムを使えば、ひとりの先生につき20人程度は家庭教師モデルに近い教育を実現できる。一斉教授法と同程度のコストで、個々人に合った学びが可能になる。

アバター共生社会では、講義部分に加えて「〇〇ってどういうこと？」というような簡単な質疑、用語や概念の解説などもＡＩが代替可能になる。しかし「この子はこの問題について、いったいどのレベルからわかっていないのか」といったつまずきの把握など、ややこしい問題に関しては先生が入って話を聞き、教える。あるいは議論のファシリテーションなどは人間でなければ難しいから、そこは人間が仕切ったほうがいい。

生徒が一方的に講義を受けるものは動画で事前に視聴してもらい、授業では演習やディスカッション、グループワーク、質疑を中心に行う学習スタイルを「反転学習」と言う。反転学習はすでに一部で導入されているが、今後は自動化部分をさらに増やせるようになる。

周知のように、たとえばハーバード大学などは講義の内容をすでにオンラインで全世界に公開している。授業では学生が予習をしてきたことを前提に議論が行われる。ただ、こういったいわゆるＭＯＯＣ（Massive Open Online Course：大規模公開オンライン講座）を使った学び方は、「ひとりで勉強できる」高度な能力と学習意欲を持つ人間でなければ機能しない。たいていの人はそこまで意思が強くなく、ひとりで学ぶことは難しい。さまざまな大学が導入したものの、ＭＯＯＣでは約９割が修了に至らず脱落すると言われている。ひとりで予習・復習を完結させ、疑問や興味関心に沿って調べものをして課題をこなすのは困難なのである。だからこそ、これまでの技術でも十分に通信教育で完結させることは可能であるにもかかわらず、ほとんどの人間はリアルな学校での学びを選択してきた。リアルな学校には、同じ時間と空間を共有して学ぶことに対して強制力が働き、切磋琢磨《せっさたくま》する仲間が身近にいる。リアルな場に集団が集まる学校での学習と比べ、受講者が好きな時間にオンラインで動画を視聴して一方的に授業を受けるタイプの学習方法では、講義の受講率は低く、受講者が単位を落とす割合は高くなりやすい。「いつ授業を受けてもいい」となるとつい後回しになり、何かと理由を付けてサボってしまうのが人間のさがである。

したがって未来のアバター共生社会においても、完全にいつでもどこでも好きな時間に視聴できるオンデマンド式の動画学習（のみ）であるよりも、他者と一定の時間を共有する学習スタイルを、多くの人は選ぶだろう。そのほうが脱落者は減り、学ぶことへのモチベーションも保ちやすい。

ただ、オンラインで全世界をつないで授業・講義が行われるようになれば、実質的に好きな時間に好きな内容の講座が受講できるようになる。たとえば日本時間で朝9時からの講義は、ブラジルでは夜9時から開講される。逆もしかりだ。同じ学習内容の講座がさまざまな時間に開講されれば、地域ごとに存在する時差を利用して地理的制約・時間的制約に囚《とら》われずに、しかしほかの誰かといっしょに学び、刺激を受けることができるようになる。日中に学びたい人も、夜間に学びたい人も、あるいは早朝や深夜帯でなければ学習時間が確保できない人も、いずれの人もだ。それも一方的に動画を観るだけのものではなく、リアルタイムで質疑応答や議論をする学びが可能になる。おそらく2050年にはリアルタイム翻訳の技術も発達しており、言語の壁はかなりの程度超えられるようになっているから、発信する側が何語であっても、受け手は自分の母国語や得意な言語で受講できるようになっているはずだ。

ただし、すべての人がすべての学びを家庭でのオンライン学習に置き換えればいいと言いたいわけではない。学校は単に教師から一方的に知識を教授される場ではないからだ。クラスメイトや先輩後輩と遊んだり議論をしたりさまざまな活動をすることで集団生活、集団での課題解決のトレーニングをする場であり、他者と互いの発想や感覚を触発し合うことで個人の能力を高め育てる場でもある。そのためにはアバターを使うよりも同じ空間にいたほうがより効果的なこともある。そういったメリットまで否定する必要はない。勉強でも仕事でも、ひとりで在宅でやったほうが効率的なことはそうすればいいし、集団で新しい発想を創発することを目的とした場合などにはFace To Face、あるいはお互いディスプレイ越しに対話するのではなく、最低でも物理的なアバターを使って行うほうがいい、ということになる。

重要なのは「選べる」ことだ。

たとえば現在では、学校でいじめが起こった場合に、いじめた側といじめられた側が（どちらかが保健室登校をしたとしても）同じ学校空間で出会う可能性をゼロにすることは難しい。いじめた側にも義務教育課程であれば教育を受ける権利があり、居住の自由という基本的人権がある。だから公立校では退学や転校を命じることは事実上困難だ。結果、いじめられた側のほうが耐えきれずに転校していくケースが少なくない。しかし学校に物理的なアバターを置くか、あるいは先生がカメラに向かって語るスタイルで授業を受けるといったかたちで家庭学習も選べるようになれば、ソフトウェア上で特定の児童・生徒の姿や発言をミュートする（教師には見えているが、いじめられた側といじめた側は相互に視界に入らなくする）、またはカメラを置く位置を調整することで会いたくない相手同士を不可視にすることも技術的には可能である。お互いの接触を物理的に遮断しながら、双方の学びを途切れさせずに済む。

それから、生身の大人と相対すると極度に気後れしてしまったり、話している内容がなかなか理解できなかったり、あるいは発話が困難になるといった発達上の特性を持つ子たちの学習支援にも、アバターは役立つ。こうした子たちは、ロボットやデフォルメされたアバターなどを通しての対話を選択できるようにしたほうが、より安心した状態で、その子に合ったかたちで学習をし、カウンセリングを受けてもらうことができるようになる。「生身の人間よりもアバター越しの対話を好む」という傾向は、高齢者だけでなく自閉スペクトラム症（ＡＳＤ）の人などでも、コミューやテレノイドを使った実験ですでに確認されている。

◎体験学習の近未来

アバターを使って他者になりきることも、学びや研究に変化をもたらす。

たとえば子ども型のロボットに乗り移ると、子どもの心理になれたような気がしてくる。目線の高さも変わるし、社会的な扱われ方も変わるからだ。このように、アバターを使えば見た目をその集団と近い存在に変えられるから、社会学者や人類学者がある属性を持った人たちに対して調査、参与観察を行いやすくなることもあるだろう。あるいは生物学者が動物のロボットに乗り移り、動きを真似《まね》しながら研究対象の動物に近づくといったことも考えられる。

東京大学ニューロインテリジェンス国際研究機構・長井志江《ゆきえ》特任教授は、発達障害の一種である自閉スペクトラム症（ＡＳＤ）の症状を持つ人の知覚症状を再現する装着型体験シミュレータを設計することで、定型発達の人がＡＳＤの症状について、第一人称視点から共有できるシステムを開発している。

同様に、高齢者や障がい者、妊婦や在留外国人、あるいはＨＳＰ（Highly Sensitive Person）

と呼ばれる刺激や環境変化に対して敏感な人たちなどが、どんな風に世界を感じているのか、どんな風に社会から見られているのか、何に困っているのかを自ら体験することは、初等中等教育においても、高等教育や研究分野でも、あるいは商品開発などに従事する企業人においても有効な手段になってくるだろう。アッパークラスとアンダークラスが、互いの世界をアバターを使って体験することを義務教育課程に組み込むなどすれば、階層の分断が緩和され、互いの理解が進む可能性もある。自分とは属性が違う存在になることによって自らが抱いていた偏見に気付き、修正する機会になりうる。

一方、レゲエミュージックが好きな若者が、ラスタファリアニズムについて不勉強なまま、宗教的な意味合いや歴史的経緯を知らずに、単にファッションとしてドレッドヘアのアバターを用いるとか、ラップが好きで黒人に憧れた白人が安易に黒人のアバターを用いるといった文化盗用の問題は、生身の身体よりも気軽にアバターが作れ、なりきれてしまうがゆえに、これまで以上に顕在化すると考えられる。日本人も、外国人が適当に着物を着崩していたり、数珠や袈裟《けさ》をファッション感覚でアレンジして使っているアバターを見たら違和感を抱き、気分が悪くなるかもしれない。もしそれで金儲《かねもう》けしようとしていたら、なおさらだ。

しかしこういった行為にはデメリットもあればメリットもある。なりきってみることによってその格好がコミュニティ内でどんな意味を持っているのか、あるいはその集団が外側からどんな差別を受けているのか、実際に体験するまでは実感できていなかったことが深く理解できる可能性もある。僕は気軽にいろんなものになってみることによって、異なる属性や階層の集団同士に互いの問題が共有される、メリットのほうが多いのではないかという気がする。たとえば本気で日本文化に興味を示し、憧れている外国人に対しては、応援したくなることのほうが多いのではないか。アバターの制作や運用において、民族や人種固有の文化を守る法律もできるかもしれないが、異文化同士が模倣をし、影響し合うこと自体は大昔からあるものだ。リスペクトを前提にした摂取やなりきりを、一概に禁止するべきではないだろう。

◎コミュニティの近未来

アバター共生社会では、友だち作りやコミュニティ参加も変わる。

インターネットができて以降、お互い素性を明かさずにウェブ上でコミュニケーションすることは珍しくなくなった。そこでは性別や年齢について、生身の自分とは異なる情報を騙《かた》ったり、作ったりすることもできる。

アバターを使えばネットやゲーム空間以外でも、違った姿になることができる。

生物学的な性別（セックス）と性自認（ジェンダーアイデンティティ）が一致していないセクシャルマイノリティのなかには、アバターで好きな見かけや声質などを選べるようになることで、しっくりくる自分の姿で活動でき、生きやすく感じる人も出てくるだろう。

むろん、性自認や性的指向自体は、アバターが普及しようとも、服のように着替えられるものではない。僕が女性型アンドロイドや女性型アバターを遠隔操作したところで、自分が男性だという意識は変わらないし、性愛の対象は女性のままである。ありうるとしたら「もともとそうだったが自覚していなかった人が気付く」というケースだ。アバターで異性の服装をまとうことによって、性自認や性的指向が変化することを懸念している人がいるかもしれない。しかし、異性愛者が同性愛者になる、同性愛者が異性愛者になるといったことは、簡単には起こりえない、と言っておこう。

ただ僕は、パン屋で小型ロボットのソータを使って接客する実証実験——詳しくは次章で紹介する——に自ら参加してみたときに、「こういう自分もいるのか」という発見があった。知らない世界を体験できた。アバターを用いて今までとは違う見かけ、違う活動、違う場所で過ごすことをいくつも試していけるようになれば、きっと多くの人が想像もしていなかったような違う生き方を見つけ、まったく新しい人生を歩み出すことがありうる社会になるという確信がある。

自分の人生を振り返ると、僕にも自分には何が向いているのか、何がやりたいのかを探した時期があった。僕はもともと絵描きになりたいと思っており、大学2年生頃まではほとんど絵に注力していたのである。だが徐々に自分は絵で食べていけないだろうということはわかってきていて、アルバイトを40種類ぐらいやった。結果としては研究職が向いていることに気付いたのだが、たくさんの仕事を試してみたからこそ、しっくりくるものがわかったように思う。アバターが当たり前になれば、そうしたチャレンジはもっと楽に、たくさんできるようになるだろう。

アバターを変えれば新しい自分を見つけ、新しい仲間を見つけることができる。アバターなしでは、自分の経験と想像の範囲の外で人間関係を作ることは難しい。また現状、男性は特にそうなのだが、年を取るほど新しい人間関係や友人を作ることに、苦手意識を持つ傾向がある。その結果、中高年男性は孤独になりやすい。そして孤独な人は、豊かな人間関係を築いている人よりも、早死にしやすいこともわかっている。

現実世界と今のネット社会だけでは、環境をリセットして新たな人間関係を築くことはなかなかに困難だ。ＳＮＳが発達して以降のネット社会では、学校や仕事関係の人間とネットでもつながらなければならない窮屈さもある。だがアバターを使うことで自分の素性を隠して別人になって好きなことに参加し、いろいろな人とコミュニケートできるようになれば、息苦しさから解放され、気軽に友だちを作れるようになる人もいるはずだ。プライベートな人間関係形成に対しても、多種多様なアバターは役に立つ。

ＳＮＳが出てきたことで、面と向かって人と話すことは苦手であっても、書き込みがうまければ有名になれるようになった。アバター社会でも、それまでには発揮しきれなかった才能を活かして自由に生きられる人間が現れるだろう。

現実空間での対話は苦手だが、メールをはじめとする各種メッセンジャーサービスやＳＮＳを使ったテキストベースのコミュニケーションや、顔を見せない音声コミュニケーションを得意とする人たちは、インターネットの登場によって、他者と親密な関係を築くことができるようになった。多様なモダリティの組み合わせからなるアバターを用いることができる社会では、ネット社会以上に、その人に合ったコミュニケーションが可能になり、生きやすい社会になるだろう。

Ａさんは「アバターで通話がいい」と思い、Ｂさんは「テキストメッセンジャーがいい」となった場合には、その非対称性を補うツールも出てくるはずだ。たとえば大人が子どもとメッセージをやり取りする場合には、当然ながら子ども向けの言葉遣いをしなければうまく伝わらない。だが今までの世の中では、こうした当たり前のことが行われてこなかった。

たとえば全人口の数%いると言われている、文字を読むことが困難なディスレクシア（識字障害）の人に対して文章を読むことを、書くことが困難なディスグラフィア（書字障害）の人に鉛筆やペンで字を書くことを強いてきた。こういうことは避けなければならない。

メッセージを送るときにも受け取るときにも、その人が最も望ましいと感じる表現を選べるように変換するツールを、アバターが備えることが重要なのだ。音声コミュニケーションがいいと思う人と耳が聞こえない人とが、互いに不自由なく対話ができるような、非対称な通信が当たり前になっていくだろう。それはこれまで分断されていた人たちを結びつけ、新しいコミュニケーション、新しいコミュニティを生み出すきっかけになるはずだ。

◎医療の近未来――遠隔医療の充実

アバター共生社会では、医療の姿も変わる。

インタッチ・ヘルス社がアメリカで実績を挙げていることは前述した。実は、昔は日本も医者が家に来てくれるという、ホームドクター制だった。アバター共生社会の実現に向け、遠隔医療行為も段階的に解禁していけば、日本も再びホームドクター制に回帰できる。医者が遠隔で各自の自宅に赴く、という新時代のホームドクター制だ。新型コロナウイルスのような感染症が流行したとき、あるいは身体がつらくて動けないときに、病院に行かないと診察もしてもらえないというのは本来おかしい。初診時、あるいはすでに何度も同じ病気で通院していて病状に特に変化もなく、同じ薬をまたもらいたいだけのような場合には、医者がアバターで各家庭を訪問して診察をし、それでは不十分な場合には病院の施設を利用して検査や治療する、というのが理想だろう。あるいは町の小さな病院でも、アバターを使ってさまざまな分野の専門医が診断することを許されるようになれば、総合病院に近い機能を持つことが可能となる。各種手術も、専門医が手術用ロボットを用いて、遠隔で行えるようになることが望まれる。少子高齢化に伴う過疎化が進んでいく日本において、地域による医療格差の是正はきわめて重要なことである。

ここまで読んで、どう思われただろうか。

「日本でそんなことができるはずがない」とか「規制が厳しいから無理だろう」と感じた人もいるかもしれない。

僕はムーンショットを通じて、そういうマインドも打破していきたいと思っている。

日本社会は「規則がないと動けない」体質になっている。「自由に振る舞って新しいことをしよう」という発想が希薄である。だから新しい技術ができても「これ、使っていいんですか？」「そんなことして大丈夫？」などと様子を見ている。そうしているうちにほかの国に先を越される。これを繰り返してきた。あるいは、他国を様子見しているうちは、他国以上に自由なのだが、政府がきちんと時間をかけて、どの国よりも厳しい法規制を敷いて自由な競争のなかから生まれた芽を潰し、冬の時代を作ることも得意だ。

このような「規制ありき」のやり方は、いい加減やめにしたい。

なぜなら第一に、最初から規則でがんじがらめにするやり方では、新しい産業が生まれないからだ。たとえ生まれたとしても外国の先行事例の後追いになってしまい、小粒な成功しか勝ち得ない。共産党による規制が厳しいと思われがちな中国でさえ、民間で新しい技術やビジネスモデルが台頭してきたときには、多少乱暴な事業者が横行してもあえて泳がせておき、マーケットが大きくなり、激しい競争のなかで淘汰されて強い企業が生き残ったあとで、または、網をかけないと大きな社会問題になることが具体的に見えてきた段階になって、ようやく締め付ける。いわんやアメリカなどではもっと自由だ。かつ、投資マネーの流入が莫《ばく》大《だい》でもある（ただし訴訟は多い）。

また第二に、ビジネスとは関係なしに、「縛りありき」の窮屈な社会制度、社会の風潮は、「どんな人であっても自在に生きられる社会を作る」という理念とも整合しない。

僕にとってムーンショットは、年齢や性別、能力などを問わず、誰もが生きやすい国にしていくことへの挑戦である。そのためにアバターを社会に普及させたい。そしてその過程で、さまざまな規制や人々のものの考え方も、良い方向に変えていきたいのである。

そしてこれらを絵空事にしないために、すでに30箇所以上でさまざまな実証実験を行っている。次章ではそれらのなかからいくつかを紹介してみよう。

第三章

ムーンショットが進めるアバター研究

FUTURE SOCIETY IN HARMONY WITH AVATARS

◎実証実験からの成果と示唆

僕らがムーンショットで行ってきた実証実験のほとんどは、新型コロナウイルスの流行が始まって以降に行われている。コロナ禍であっても、人と人とが気軽に触れ合える社会を作ることは喫緊の課題であり、僕らはアバターを使ってその課題解決に取り組んできた。ご協力いただいた施設の方々からはおおむね好評であり、いくつかのケースでは実証実験に留まらず、アバター設置の常設化の希望をいただいた。

ここでは実際にどんな実験を行い、どんな成果と示唆が得られたのかについて話していきたい。以下で紹介するものは、先端知能システム共同研究講座（株式会社サイバーエージェント／国立大学法人大阪大学）によるSota100プロジェクトで行われたものである。

Sota100とは、「誰もが自在に活躍できるアバター共生社会の実現」の一プロジェクトとして、ソータ約100台を、さまざまな実フィールド（商業施設、教育施設、公共交通機関等）に設置し、遠隔からサービス提供を実施する実証実験プロジェクトである。

◎遠隔対話ロボット×保育・教育
――感染症流行下の保育園でのアバター利用

保育園には、地域の協力者や外部講師が、紙芝居の読み聞かせなどで日常的に訪れたり、逆に高齢者施設で暮らす老人たちを、子どもたちが訪問交流したりする時間がある。ところが新型コロナウイルスが流行し、保育園への外部人員の立ち入りが規制されてしまった。それまで当たり前に行っていた、人と人とがじかに触れ合う活動が実施できなくなったのである。

そこで大阪大学の学内にある、まちかね保育園にアバターを置き、外部の人が遠隔操作で入ることで「みんなであいさつしましょう」というあいさつ運動と、歌を歌ったり紙芝居をするといったアクティビティの、ふたつの保育サポート業務を実施した。高齢者と子どもたちとの交流を復活させ、劇団員におはなし会などをしてもらったのである。

登降園時のあいさつ運動に関しては、高齢者が園の敷地内に設置された遠隔操作ロボットを通してあいさつを行った。その際の子どもからの返答率は64％。園長先生からは「保育士が園児に声をかけた場合とほぼ同じくらい」と評価いただいた。保護者のコメントも「初めてのロボットとの触れ合いで、積極的になっていました」といった好意的なものがほとんどだった。第三者である協力者にその様子を見てもらい「嬉《うれ》しそう」「楽しそう」「恥ずかしそう」「無表情」「残念そう」「落胆」「恐怖」「困惑」「様子を窺《うかが》う」「驚いている」の10ラベルから該当する状態を評価してもらったところ、操作者である高齢者は93％、園児は77％が「嬉しそう」「楽しそう」に会話をしていたとの回答が得られた。「またやりたいと思うか」「楽しかったか」について操作者にアンケートで聞いたところ、5段階評価でそれぞれ4・4、4・8という高い数字となった。

アクティビティのほうは、園児を囲むかたちでアバターが踊ったり、紙芝居をしたりした。こちらに関しては、操作をした劇団員は「何も用意せずに自由に振る舞えと言われたら厳しいが、アクティビティが用意されていれば十分誘導できる」と話していた。保育士は「普段、園で行っているアクティビティと同じような反応だった。普段より行動的になった子も少数いたように感じる」と回答。劇団員の意見のなかには、普段は子どもたちと関係性作りから始めないといけないが、ロボットだと最初から園児に人気がある状態で始められるため「人から無条件に肯定される体験として、生活をうるおす貴重な体験であると感じました」といったものもあった。

◎遠隔対話ロボット×学童――感染症流行下の学童保育でのロボット利用

学校の授業が終わった放課後、両親が共働き家庭で学童保育に預けられた子どもは、スタッフやほかの子と遊んだり勉強したりしている。小学校1~3年では全児童の2、3割が学童保育に登録しているが、スタッフの人員不足などが原因で学童保育に入れない待機児童数は、2022年11月時点で約1万5000人とされる。学童保育もやはりコロナ禍が始まった2020年、21年には閉所要請を受けていた。通えたとしてもコロナ禍では対話による活動が制限されており、また、施設によっては少子化で話せる同年代の子が少ないとか、あるいは時間帯が遅くなるほど人数が減っていって最後のほうは少人数で寂しく親の迎えを待っていることもある。

こうした状況を踏まえ、「子どもたちは対話に飢えているのではないか」という仮説のもと、僕らはある学童施設に2体のロボットを置き、2名の操作者（声優）がゲームやクイズなどをきっかけに対話をする実証実験を行った。といっても、子どもからの質問に答え、たまに質問・リアクションする程度のものである。

⑯学童保育でのアバターSota（ソータ）の使用風景
ⓒ大阪大学、サイバーエージェント

しかし、それでも実施時間の14時半から18時半まで、子どもたちはロボットを取り囲んで入れ替わり立ち替わり遊び、まったく飽きる様子がなかった。ロボットが物珍しかったこともあるだろうが、ロボット設置以前には学童のスタッフにべったりだった子どもや、普段は冷静な子までも、惹《ひ》きつけることができた。

対話できる相手、会話の内容やアクティビティが日々違えば、つまり操作者が代わる代わる変化していけば、子どもたちは飽きずに会話を楽しめるのではないかと感じられた。遠隔操作ロボットでアクティビティが代用できるのであれば、学童スタッフの人員不足解消にもつながり、また、操作者として高齢者が活躍できる可能性があるため、さらなる実験の準備を進めている。

◎大型複合施設内のスーパーマーケットに遠隔操作ロボットを設置

やはり新型コロナウイルスの流行により、ショッピングモール内でも人間による対話サービスを、縮小せざるをえなくなった。それ以前には当たり前に存在していた、お惣菜《そうざい》を販売する呼び込みのスタッフが道行く人に声をかける、といった光景が消えてしまった。しかし、賑わいのなさは売上にも響いてくる。店舗でのコミュニケーションの活発化を目指し、売場の活気を取り戻すべく、大阪府吹田《すいた》市の大型複合施設らぽーとＥＸＰＯＣＩＴＹ内にあるスーパーマーケットのイズミヤに、遠隔操作ロボットを設置した。これによって感染症予防を徹底しながら、対話サービスの提供が可能かどうかを検証したのである。

実施したのはふたつ。ひとつ目は、店頭でのレシピチラシ配りである。普段、人間がやっていたことを遠隔操作したソータを使って行った。ただし、ソータは手のひらサイズの小型ロボットであり、お客さんにチラシを直接手渡しすることができない。そのため、ソータが「チラシを取ってください」と言うスタイルを採用した。結果は、実験の全実施時間のうち、45％はロボットの前に人が滞在。普段は1日10枚程度しか持っていってもらえなかったチラ

⑰ショッピングモールでのアバターSota（ソータ）の利用
ⓒ大阪大学、サイバーエージェント

シが、ソータを使うと1日54枚も持っていってもらうことができた。相当に優秀な接客ができたと言えるだろう。

ふたつ目は、モノを売る仕事を遂行できるかどうかを検証すべく、商品棚横に設置しての商品推薦である。こちらは子どもが反応したり、ロボットの動きがおもしろかったことで、顧客の立ち止まり率は通常の約1・4倍を達成したものの、買い上げ率は通常時より低く（0・42倍）、課題が残った。利用者からは「紹介よりもロボットに目がいってしまった」「ロボットのインパクトが強すぎて、商品が目に入らなかった」「楽しくお話ししていただけです」といった回答があった。人間に比べて小ぶりな大きさのロボット相手に対して買い物客は気軽に話しかけてくれる利点があったが、肝心の商品より目立ってしまったのかもしれない。

実験を実施した店舗の店長からの聞き取り評価では、満足度は7段階中の7点。「想定以上に受け答えできる」「商品の売り込みをしてくれる」「従業員の接客代用をしてくれる」「子連れのお客様が興味を持つ」とポジティブな回答をもらった。不満は特にあがらなかったが、実際導入するとなった際の、店舗側の作業負担がどれくらいなのかを気にしていた。そのため、「店舗支援サービスができたら導入したいか」の問いについては、7段階中で5点であった。

ただ、この実験では遠隔操作したのは劇団員や声優など、しゃべりが得意な人であり、受け答え能力は、オペレータの力量に左右されている可能性もある。もっとも、これまでスーパーで呼び込みをしていたような接客のプロを起用すれば、おそらく問題ないだろう。

イズミヤでのアバター利用のように、あくまで特定の役割・業務をこなせばよい場合には、ある店舗で運用されるひとつのアバターに、複数人が交替で入って対応することも十分ありうる。これが当たり前になれば、雇用の需要と供給のボトルネックになりやすい地理的制約がなくなる。たとえば田舎に住んでいても、都市部の繁忙な店舗で働くことができ、人手不足解消が期待できる。

◎遠隔対話ロボット×エンタメ
――動物や魚と触れ合えるパークでのアバター利用

同じく吹田市にある、動物園と水族館がいっしょになった「生きているミュージアム　ニフレル」において6箇所にロボットを置き、館内別室にいるニフレルスタッフと一般スタッフ計4名が遠隔操作で入り、楽しい出迎え・館内案内・展示説明・商品推薦等、多岐にわたる接客業務を実施し、どれだけ受け入れられるかという実証実験を行った。ニフレルはさまざまな動物たちを見て触れることができるので、子どもたちに大人気のミュージアムである。

それまで施設内に館内案内や展示説明、ミュージアムショップでの商品説明をするスタッフを6名配置していたが、「6台を4名」で接客できるのかをテストしたのである。

会場出口で行った利用客への聞き取り調査では、サービス満足度は70％、リピート意向は75％だった（7段階評価での5〜7の回答者の合計）。操作者からの聞き取り調査では、普段はオモテに出て話さない飼育係のスタッフにも入ってもらったが「会話を楽しんでもらえた」「数十人に感謝されて気持ちよかった」といった回答が得られた。

また、どれだけ多くの刺激を提供できたかに関して、来場者の約7割（67％）が「ロボッ

⑱「ニフレル」ではアバターSota（ソータ）を利用して、遠隔操作でお客様に館内の説明を行う　ⓒ大阪大学、サイバーエージェント

トと会話した」と回答。来場者の約半数の48％がロボットに質問し、13％で笑い声が起きていた。ニフレルスタッフによると、人間が対面接客していたときには、これほど笑いが起きることはなかったという。

スタッフは、場内の混雑具合に応じてリモートで入って話せばいいため、常駐スタッフを6人から4人に人員削減でき、生身でずっと立って接客するのに比べて、従業員の労働負荷も下がった。また、子どもたちはどのロボットに話しかけても、自分が知りたい動物や魚などについての質問をすれば、遠隔操作で飼育係が答えてくれるようになったため、従来以上に満足してくれるようになった。

さらに複数人で操作する際の利点も見つかった。オペレータはコールセンターで用いられるようなヘッドセットをして、みな近くに座って話をしていた。そのため、子どもたちからの質問の声は外に漏れないが、隣のオペレータが話した声は聞こえてくる。すると、だんだんとお互いに上手な人のしゃべり方を真似して、話し方をアレンジするようになっていったのである。僕らからの事前レクチャーは最低限の3分程度に留めていたが、操作者同士が相互模倣することで、接客がこなれていく様子が観察できた。遠隔操作というと操作者がそれぞれバラバラの場所から行うようなイメージがあるが、複数の操作者、特に熟練者と初心者が共にひとつの部屋で操作を行うことにも、メリットがあるという発見があった。

◎遠隔対話ロボット×DX自動販売機

東京・渋谷の商業施設「RAYARD MIYASHITA PARK」に設置されているPRENOの真珠を使ったアクセサリーの自販機の横にアバターを置き、自動販売機の利用・販売促進ができるかを調査した。このPRENOというメーカーは、羽田空港などに変わり種の自販機を設置して、自販機の新しい使い方を模索しており、そのなかで僕らとのコラボが決まった。

今回はアドリブ発話が得意な声優に遠隔でロボットを操作してもらい、数千円から数万円の真珠アクセサリーを販売するために、セルフサービス機の利用・販売促進ができるかどうかを調査した。

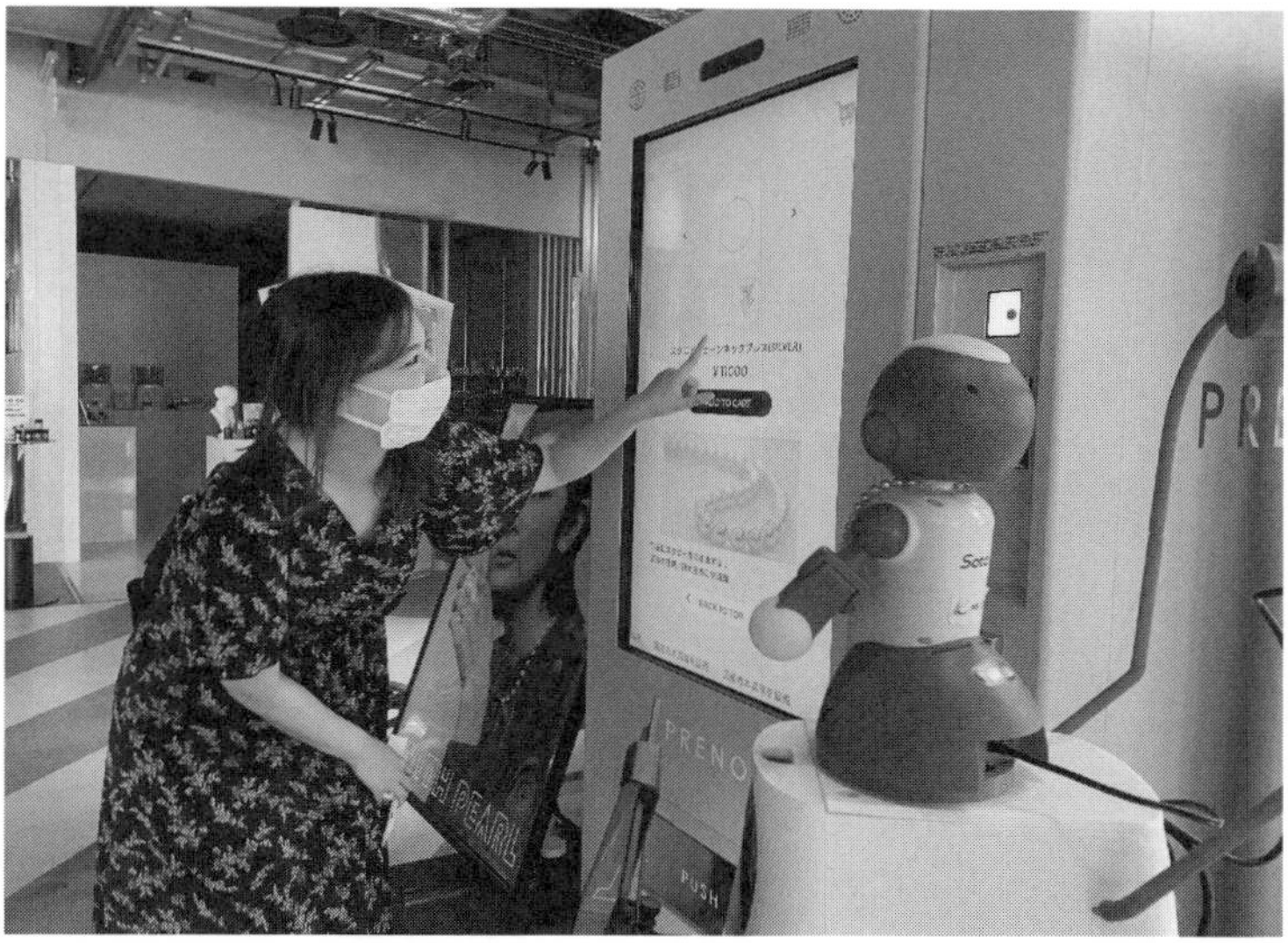

⑲真珠の販売機でアバターを利用して、お客の呼び込みや商品説明を行う
ⓒ大阪大学、サイバーエージェント

立ち止まり率はロボットを設置した期間には3倍弱の31・4％に上昇し、購入者率も1・09％と約3倍に増えた。人々が行き交う場所に設置されている自販機は、何もしないとなかなか気付かれないが、呼び込みや商品説明をするアバターを置くことで、比較的高額な商品を扱った自販機であっても、かなり売上を伸ばせることがわかった。自販機の横に人間を置いておくと、顧客から警戒される可能性があるし、働く側の労働負荷も高いが、ロボットであればそうしたデメリットを回避できる。

◎遠隔対話ロボット×空港案内——アウトバウンド型接客

神戸空港の中に、自律でも遠隔でも稼働できるハイブリッド型のロボットを10体設置し、3名の操作者でサービス提供する実験を行った（口絵⑥）。ロボットは空港の2階に置かれ、利用者に積極的に声かけをするアウトバウンド型接客を行い、3階の飲食店や休憩スペースを推薦し誘導した。来館者へのアンケートでは利用率、サービス満足度、再利用意向は高かったが、3階に向かった人の割合は、設置前とそれほど変わらなかった。理由としては、自律対話能力が十分ではなく、人がたくさん来るとオペレータ3人では、10体すべてを操作しきれなかったことや、空港利用者にビジネスユースが多く、リラックスする場所を求めている人が、そもそも少なかったということも考えられる。

◎遠隔対話ロボット×売場案内――インバウンド型接客

2フロアある東急ハンズの店内において、フロアごとに10箇所ずつ、20体のロボットを設置して、基本的には自律対話で案内をし、4人の操作者でロボットが自律で答えられない質問に対応するという実験を行った。「商品や施設の場所の質問に答えること」が、商業施設の接客タスクの大部分を占めるため、Ｓｏｔａ（ソータ）側からの声かけはせずに、利用客からの商品案内の質問に回答し、売場を案内するインバウンド型接客タスクをソータを使って実行した。

たとえば顧客が「石鹼《せっけん》どこ？」と訊《き》くとソータが「ここにあるよ」と自律で対応する。もし店内で音楽が流れているなどして、ノイズが多くて何を言っているのかを聞き取れなかったり、音声認識を何度も間違えて、案内に時間がかかったりした場合には、オペレータが介入する。そういう場合にはオペレータがマイクを使って直接しゃべるか、テキストを入力してロボットから音声案内することで、商品の場所へと誘導した。すべての人がオペレータでの対応が必要になるような、細かい質問をしてくるわけではないため、このかたちでひとり

⑳東急ハンズ（現・ハンズ）でのアバター
Ⓒ大阪大学、サイバーエージェント

あたり平均5台見ることが十分にできた。自律機能だけでもロボットの前で立ち止まった顧客の6割の質問に対して回答でき、オペレータも込みにすれば68％に対応できた。来館者へのアンケートでは「満足している」という人が約75％、「もう一回使いたい」は84％だった。

東急ハンズは非常に手応えを感じてくれ、２０２２年夏に開催するイベントでは、性能をさらに向上させたロボットを導入し、もう一度、実証実験を実施した。

実は東急ハンズは以前、僕らとは別のある企業と、ディスプレイに表示するＣＧアバターを使った売り込みの実験をやったこともある。だがそのときはなかなか立ち止まってもらえなかったという。

東急ハンズのような店では、普段からディスプレイを使って何かしらプロモーション動画を流していることが多く、ＣＧアバターも「また宣伝が流れている」と思われて無視されてしまったようだ。今回の僕らのロボットとは設置目的が違うから、単純比較はできないものの、ディスプレイに映したＣＧアバターよりも、物理的な身体を持ったロボットのほうが適している場合もあるのである。

◎ベーカリーでのアバター利用

僕らは大阪府豊中市のソルビバベーカリーというパン屋で、おすすめのパンの接客業務をソータを用いて行ったが、売上が前年比１３８％になった。アドリブ発話が得意な声優と学生に、遠隔から店頭・店内のロボットを操作してもらい、焼き立て・残り個数・今日のおすすめパンなどのリアルタイム情報を店頭・店内で連携して発話した。

この調査でもやはり人間が接客していたときと比べて立ち止まり率が上がり、また、このときはロボットが推薦したものを買ってくれたのか、客単価も向上し、売り切れが発生していた。実験のために普段より少し多めに作ってもらっていたが、その予測以上に売れた。

㉑ソルビバベーカリーでの遠隔操作されたアバターを使った実験。リアルタイムの情報を発信　©大阪大学

僕も、見た目や声がかわいらしいソータに入って接客してみたが、怖がられずに子どもとも話すことができた。人生で初めて接客業に従事したこと自体が新鮮な体験だったが、見た目と声を変えるだけで、人格まで変わったような感覚を抱いたのも、興味深いことだった。

◎ Sota100 の実証実験から見えてきたこと

Sota100 プロジェクトを通じてわかってきたことをまとめてみよう。

まず「ロボットアバターは、遠隔から現場課題の一部を解決できる」。

ロボットアバターは、子どもたちを強

く惹きつけ続け、高齢者が保育の役割を担える可能性を高める。保育園では子どもたち・高齢者共に楽しく交流でき、保育業務の一部を担当できたし、学童保育では開所している間ずっと子どもたちを、惹きつけ続けることに成功した。

また、実店舗での販売促進の事例を複数実現したが、スーパー、ベーカリー、DX（デジタル・トランスフォーメーション）自販機において、それぞれ通常の5倍のチラシ配布、138％の売上向上、約3倍の利用促進を実現することができた。

ただし、ロボット側に注意が取られて、商品への注目が散漫になるといったことも生じた。つまり人間がやっている接客を、そのままソータでやっても効果が上がるとは限らないため、顧客とのインタラクションの成功パターンの模索が必須である。

ひとりのオペレータで複数の自律型ロボットを遠隔操作する場合、顧客側からロボットのところに来るインバウンド接客タスクと相性が良い。東急ハンズの質問対応タスクでは、約7割の回答成功率を実現したが、データベースの拡充や音声認識改善で8、9割を狙える手応えがあった。

一方、神戸空港でのロボット側から顧客に声をかけるアウトバウンド接客タスクには、オープンな会話に耐えうる対話能力が、必要であることもわかった。

導入してわかった遠隔ロボットアバターのほかの利点としては、「いる」だけで人々を惹きつける存在になれることや、操作者の「心的ケア」を促す可能性がある点である。特殊なスキルや属性がなくても、アバターを使えば子どもたちから受け入れられる存在になれる。対面での世代間交流には「心的ケア」の効果が、学術的に確認されているが、アバターも高齢者と子どものような、異なる世代同士の交流を促しうる。

また、アバターを使って「会話が成り立つ」こと自体がコンテンツとなる。やはり特殊なスキルがなくても「アバターと会話が成り立つ」ことだけで、多くの人に楽しい体験を提供できるのである。人間同士では「近くにいて話をする」こと自体の価値は感じにくいが、アバターではその価値が感じられる。

さらに、コンテンツ体験のなかでサービスの提供（案内・誘導・注意・推薦等）ができる。加えて、複数のスタッフに同時に操作させることで、接客業務のトレーニングとして活用可能である。隣同士で同時に操作・接客させるだけで、最低限のスキル・知識が身に付く。各スタッフのタスク成功・スコアなどを共有すると、よりスキルを高め合う仕組みになる可能性がある。

一方で、導入してわかった技術的課題もある。まず、幼児期の子どもを相手する上では、センシング環境の充実が不可欠である。彼らはまだ言葉による意思疎通が未発達であり、しっかり会話ができないことが多い。したがって表情やしぐさ、目線といった「言葉以外の反応」から、児童が言いたいことをオペレータが理解する必要がある。そのためには、場全体を把握できる映像、児童の顔にフォーカスした映像など、アバター操作者が複数の視野で映像を見ることができるのが望ましい。また、「ん」「ふん」など言葉にならない音を、雑音に負けずに拾えるマイクの性能も重要になる。

それから、ロボットへ接する人たちの意識を、推薦したい対象にスイッチさせるインタラクション戦略も求められる。単純にロボットから「この商品を見て」と言うだけでは、顧客の意識がそちらへ向かないことが多いからだ。ロボットに対する興味を瞬時に満足・解消させ、推薦対象への興味を抱かせなければならない。

そして自律ロボットの性能向上と同時に、さらに複数同時に操作ができるレベルに、操作が簡単になる仕組みが必要である。ひとりで複数のロボットを操作できると、生身の人間が行っていたときよりも接触機会の増加やコストパフォーマンスの向上が見込める。最も人を割かないといけない接客シーンを判定し、操作者を割り当てる機能を実現するとともに、操作の簡易化も実現しなければならない。

◎世界初の現役閣僚のアンドロイドアバター ――ジェミノイドＴＫ（河野太郎）

Sota100プロジェクトとは別に、ムーンショットではマスコミにも注目される実証実験も目下進めている。

２０２２年10月21日に河野太郎・デジタル担当大臣のアンドロイドを元にしたサイバネティック・アバターであるジェミノイドＴＫと、私のアバターである「ジェミノイドＨＩ－６」を使った記者会見を科学技術振興機構（ＪＳＴ）にて行い、東京都内の屋内施設にて実証実験を開始し、社会利用に向けた課題を検討すると発表した（口絵⑫）。

これは国際電気通信基礎技術研究所（ＡＴＲ）インタラクション科学研究所の宮下敬宏《たかひろ》所長および大阪大学の僕の研究グループが、理化学研究所情報統合本部ガーディアンロボットプロジェクトの港隆史チームリーダーらの協力を得て、内閣府のムーンショット事業の一環として行ったもので、世界で初めて現役の閣僚がサイバネティック・アバター（ＣＡ）を利用する実証実験である。のみならず、内閣府が立てた大きな目標の下、文部科学省がプロジェクトを推進し、デジタル庁がその社会実装を後押しするという、省庁連携型のプロジェクトでもある。

このプロジェクトは２０２０年12月にスタートし、アバター制作を当時、規制改革担当大臣であった河野氏に打診した。ムーンショットではホスピタリティ豊かでモラルのある対話や行動が可能な、社会を変革しうるＣＡの実現を目指しており、その研究開発の一環として大臣のＣＡを開発したのである。

ジェミノイドＴＫは立ち姿で語りかけるアバターで、ジェミノイドＨＩシリーズとは異なり腰から上を動かすことができ、52の関節が稼働できる。腰の自由度が高いため、お辞儀をすることもできる。もちろん目も動けば顔も動く。語りかける相手がそれなりに遠くにいる場合でも、「目が合った」「目を見て話してくれている」と思ってもらえるような、自然な動きや所作を実装している。

身振り手振りはあらかじめプログラミングしたものを行うこともできれば、音声から自動生成することもできるし、本人やスタッフが遠隔操作することもできる（目の動きなどはコンピュータが自動生成する）。どこを見るかは人間が指示するが、少し周辺を見回すような人間らしい自然な動きはコンピュータが自動で行い、手を挙げるような大きな動作は遠隔操作で行う（ことが多い）。遠隔で話すこともできれば録音した音声も出せるし、テキストを元にその場でコンピュータに発声させることもできる、というように、講演やプレゼンを聞いた人たちは、ジェミノイドＴＫがプログラムされたことを再生しているのか、リアルタイムで遠隔操作で話しているのか、なかなか判別がつかないレベルの音声や動作を実現した。

この実証実験は実施中・分析中であるため、実験結果やそこからの示唆を本書では書き記すことができないのだが、実験の内容としては、人々に大臣のＣＡ（ＣＧではなく実体のあるタイプ）と対話してもらい、その反応を確認し、どんな感想・感覚を抱いたかを訊く、といったものである。それによって、人々は目の前に大臣本人が来て話していると感じられるか、大臣の言葉はより人々に届きやすくなるか、遠隔地でＣＡが本人の業務を一部代替することで、移動の時間や費用を省いて業務効率の向上につながるか、などの効果を検証している。

数多くの人と接することが求められる大臣がＣＡを利用すれば、移動手段に頼らずに各地のさまざまな人と接することができ、大臣の働き方改革にもつながる。こうしたＣＡの普及はデジタル庁が目指す未来社会像と一致しているが、それをデジタル大臣自ら示すことができる。

また、この実証実験においては、アバターを実利用することにおけるさまざまな問題を、国民といっしょに考えることも狙いである。たとえばどんな問題があるか。ＣＡは本人の代理であって本人ではないため、ＣＡを使うことで、「どういう場合に本人と見なしていいのか、どこから本人ではないのか」という判断が曖昧になる。特に特定の人物に酷似したCAを用いると、操作者が別の人物や人工知能だったとしても、CAと対話する人が相手を操作者本人だと思う場合が出てくる。たとえばデジタル庁の職員が大臣の代弁者として操作した場合は、どういう反応や責任が生じるのか、河野大臣は記者会見で「国会が許すのであれば、予算委員会で自分の代わりに出席してもらったり、答弁をしてもらってもいいと思っている」と語っていたが、果たして国会が制度的・法的にそれを許容するのか、国民は認めるのか、といったものだ。

あるいは、CAの操作者が誰であるかを認識できる「顕名」の場合と、認識できない「非顕名（匿名）」の場合、その両方の側面での利用が可能となるが、ではどのような状況において操作者が誰であるかを明示しない非顕名が許されるのか。

こうした事態に対する社会規範としての社会受容性や法的な許容性、さらにはそのような状況におけるCAの利用に必要な法解釈、法整備の検討が必要になる（こうした倫理問題については第五章で詳しく掘り下げる）。

法律は国会で制定するものだが、社会規範はすべて法によって規定されるわけではない。法律に書かれていなくても社会の多くの人が従っている明示的な、あるいは暗黙のルールやマナーもある。そうしたものは一義的に誰か特定の人が決めるというより、社会のなかで多くの人が意見をやり取りしていく過程で、徐々にある種の落としどころが見つかっていくものだ。5年間に及ぶムーンショットのプロジェクトとして、僕らとしても社会規範を「提案」することを目指してはいるが、それはあくまでこちらからの「提言」に留まる。世の中で広くアバターが使われるようになっていくなかで、人々の間で徐々に規範が形成されていくだろう。

◎アバターの基礎研究

ムーンショットでは、アバターを社会でどのように活用するかに関しての実証実験だけでなく、アバターを作るための基礎技術の研究も進めている。ここで紹介しておこう。まず、音声からの動作の生成である。操作者の声からアバター（アンドロイド）の身振り手振りなどのジェスチャーを作る、というものだ。アバターはオペレータの人間が発話した音声を分析し、特徴を取り出すことで、笑い声や驚きなど、発話を識別する。その結果を元にアバターの眉やまぶた、頬の動きを自動的に制御する。アバターは笑いや驚きの発話に応じて、自然に顔の表情を変化させられるのである。

さらに、声を分析すれば手の動きも再現することができる。人は話をする際に、それぞれ独特な手の動かし方をする。特定の人を選び、さまざまに発話してもらいながら声と手や身体の動作の関係を分析し、その結果を元にアバターの手や身体を動かすと、その人らしく手や身体を動かしながら話すアバターができあがる。

かつては声から動きを作り出す場合、「こういう声のときはこういうジェスチャーをする」ということを、いちいちルールベースでプログラミングしていたが、近年では、この声からの動作生成においても、「人間はこういう声を出すときにこういう身振り手振りをしている」という大量のデータを人工知能に学習させる（ディープラーニング技術を用いる）ことができるようになり、さらに人間らしい動作を生成できるようになってきた。これら一連の声から動作を生成する研究は、理化学研究所の石井カルロス寿憲《としのり》研究員（当時ＡＴＲ研究員）らと共に取り組んできた。

視線の向け方の研究も進めている。人間は、声がしているほうを自然に向く性質がある。これをアバターにも同様の動きを実装しようというものである。一対一の対話で話をしている人のほうを向くのは、音の位置がわかるセンサーを使えばいいが、問題はたとえば３人（人間ふたり、ロボット１体）で話すなど、複数人での会話である。こういうときには、声を出している側に主に注意を払っているように見えるようにしながら、声を出していない側を無視しているという印象を与えず、ふたりのほうを適宜向くことが望ましい。これを自律的に行う研究を進めている。さらに人間は、外交的な性格と内向的な性格では、振る舞いが違うことから、性格による視線の向け方の違いも使い分けできるようにしている。

ほかにも、アバターに相手の感情を認識させ、それに応じて適切な感情を表現する機能の研究も行っている。相手の顔画像、声のボリューム、何をしゃべったかをテキスト化したものから認識する、というものだ。怒っている人の映像や笑っている人の映像を大量に学習させて判断できるようにしたが、実時間で動作させるにはさらなる研究開発が必要である。

アバターが自律的に相手の感情を認識すること、アバターを使って伝えたい感情を表出できることは、人間とコミュニケーションをする上できわめて重要である。表出する側に目を向けると、かつてよりネガティブな表情（不機嫌・怒り）がうまく表出できるようになってきた。機械音声、テキストの読み上げ機能といえばいまだに「棒読み」のイメージがあるだろう。だがたとえば同じ「お願いします」という言葉の入力であっても、優しく依頼する「お願いします」、不満げに注意する「お願いします」、怒りながら注意する「お願いします」などのニュアンスを伴う言い回しの使い分けができるようになってきた。つまり、自律型アバターの性格付けとして、あまり怒らないほうがいい場合には、言葉を和らげるとか、ルールを守ってもらわないと危険な場合などは、強めに言うといった人格の切り替えができる。

ひいては、アバターを遠隔操作するときに、操作者の発言のニュアンスをそのまま伝えるだけでなく、アバター側でニュアンスを調整・加減することが可能になる。

ほかにも、アンドロイドを遠隔操作する際に、カメラで遠くからそのアンドロイドを撮影したものをタブレットのディスプレイに表示し、操作者が画面を1回タッチするとその場所をアンドロイドが見る、ディスプレイを2回続けてタッチすると手をそちらに向けるという機能を考案した。これはATRの受付に置いたERICA（エリカ）に実装しており、操作者は来客に対してエリカを使って、対話と手振りによる案内ができる。

また、メタバース空間でCGアバターに対してどのように触れる／触れられると自然に感じるのか、イヤだと感じるのか、どんな触れ方が望ましいのかなどの研究をはじめ、さまざまな観点から多面的にアバターの開発、運用に取り組んでいる。

こうした基礎的な技術をアバターに実装して実証実験を行い、そこで得られた課題を再び基礎研究にフィードバックするというサイクルを回しているのである。その先に、誰もが時間と空間の制約を超え、アバターを簡単に用いて自在に活躍できる社会が実現するのだ。

第四章
技術の社会実装　AVITAの取り組み

◎なぜ起業が必要だったのか

第一章でも解説したように、人と関わるロボットの研究開発は、研究室での実験に閉じていられない。工業用ロボットの研究であれば、大学や企業などの研究室か、せいぜい工場で行う実験で十分だった。ところが社会のあちこちで人間と関わるロボットを作ろうと思うとそうはいかない。実際に街中やさまざまな施設に配置し、ロボットに関する専門的な知識を持たない一般の方々に使ってもらうことで得られる反応を通して、仮説検証をしていく必要がある。また、実地での運用を通じて初めて、事前の想定にはなかった課題の発見もできる。

僕らが1990年代後半に始めて以降、人と関わるロボットを実際に社会で使い、フィードバックを得て改良し、さらに次の実証実験を行うという、新しいスタイルの研究が幅広く展開されるようになった。今見てきたように、ムーンショットでもこの手法が用いられている。

だが実証実験だけでは、社会実装が進まない。研究機関で研究開発をしているだけでは、街のあちこちにロボットやアバターが当たり前にいる社会はやってこない。誰かが実際に経済活動として、世の中に技術を投入しなければ、マーケットができないからだ。ロボットやサービスの売買を拡大していかなければ、社会に広まってはいかない。

研究者たちが自ら社会を変革するために企業と連携したり、企業を作ったりする流れは、海外に目を向けると、この20年余りで急速に進んできた。すでにAIや情報システムの研究者、あるいは経済学者なども大学の中に閉じずに、大企業といっしょに実際のビジネスのデータを使いながら研究し、論文を書き、プロダクトやサービスの設計に携わるようになっている。GAFAM（Google、Amazon、Facebook〔Meta〕、Apple、Microsoftからなる企業群の呼称）などでは専門的な知見を持つ多種多様な学者が雇われ、最新のアカデミックな知見が、ビジネスに活用されるようになっている。実ビジネスの世界には情報科学系の研究者や経済学者、経営学者などが喉から手が出るほど欲しい、生のビッグデータがあることが多い。論文のネタがいくらでも転がっている環境で、潤沢な研究資金を得られるとなれば、企業で研究開発などに携わりながら論文も書く道を選ぶ人間が、たくさん出てくるのは自然なことだ。スタンフォードのような一流大学の研究室のなかにも、特定の企業に何十人と研究者が丸抱えされているところもある。日本では企業で博士人材の活用がうまくいかないとか、学部卒と博士号ホルダーでそれほど給与が違わないなどといった状況がなかなか変わらないうちに、海外と大きく差が開いてしまった。日本ではサイバーエージェントなどごく一部の企業だけがこうした流れに乗り、博士号ホルダーを積極的に採用したり、研究機関と提携したりしている（同社は後述するＡＶＩＴＡにも出資してくれた）。

研究室で行う研究も、社会における実証実験も、もちろん重要だ。だが、実社会の問題を解くことで、その研究に価値があることが世の中に知れ渡れば、企業からの研究資金獲得につながる。その資金を元に研究開発に携わる人間に、十分な報酬が安定的に支払えるようになれば、優秀な頭脳が集まりやすくなって研究がさらに進展する。そして企業の側は、最新の学問的知見をビジネスに活かした、高度なプロダクトやサービスを顧客に提供できる。

日本の大学では、アメリカの研究者のように、潤沢な研究開発予算を獲得することは困難である――日本学術振興会による科研費（科学研究費助成事業）などだけでは、とてもまかなえない。だからなおさら企業と組んで、あるいは大学で培った知見を市場での経済活動に活かすことで研究を進め、社会実装を進めていく必要がある。

そして日本のロボット／アバター研究は、社会実装を通しながらのシステム開発が必要かつ可能なフェーズになっている。

こうした状況を背景に２０２１年に僕が創業し、代表取締役に就任したのがＡＶＩＴＡ株式会社だ。ＡＶＩＴＡは、ラテン語で「いのち」を意味するＶＩＴＡと、アバター（ＡＶＡＴＡＲ）を組み合わせた言葉である。

ＡＶＩＴＡはさまざまな企業との協業により、アバター市場を開拓していく。すでに事業連携を目的に5・2億円を資金調達したが、今のところベンチャーキャピタルからの出資は受けていない。したがって短期で上場を目指さなければいけないというプレッシャーがない状態で、中長期的な視野に立って事業展開が行える。

また、この起業は僕個人の人生設計とも関わっている。一般的には大学を定年になると、研究がかなりやりにくくなる。僕は1963年生まれで、このままいけば2020年代後半には大学教授としては定年を迎える。したがって今はアカデミアに在籍する研究者としては最後の挑戦の時期である。ＡＶＩＴＡは大学での研究が難しくなっても、新しいことに挑戦できる枠組みを作るために設立した部分もある。もっとも、活動できる器があったところで、加齢とともに頭脳が衰えてしまえば研究者としては終わりだが、頭が十分に働くあいだは死ぬ気で走り続けたい。今言ったように、アメリカの研究者たちのなかにはGoogleやAmazonなどの企業に所属して研究開発をし、論文を発表しながら世の中を変えている人間もいる。僕も負けてはいられない。ＡＶＩＴＡのビジョンを実現するためには、このあと海外でも挑戦することにもなるだろう。心身の衰えに直面する前に、世界に打って出なければいけない。

◎AVITAの事業とビジョン

さて、そんなAVITAは、いったいどんな事業を展開しているのか。一言で言えばCGアバターシステムを開発し、そのサービスを提供している。より具体的には、以下のようなことを行っている。

❶オリジナルアバターの制作

AVITAでは、実世界で稼働するCGアバターとその操作システムを制作している。アバター提供で、世界ナンバーワン企業になることが目標のひとつだ。

アバターの見た目は、現実の人間の姿に寄せたバーチャルヒューマンタイプ、VTuber型やマスコット的にデフォルメされたキャラクター型アバターなどさまざまなタイプが制作可能であり、用途にふさわしい運用ができる。

VTuberとは、YouTuberのようにネットを中心に、ゲーム実況などの動画配信業や音楽活動を行うが、自分の姿の代わりに、アニメやゲームのようなテイストの３ＤＣＧまたは２ＤのＣＧやイラストなどで表現した外見を持つ、アバターを用いた存在のことだ。多くの場合、モーションキャプチャと、ＣＧのリアルタイムレンダリング機能を使って、配信者の表情や身振り手振りを、ＣＧアバターにも即時に反映させつつ、生配信が可能だ。この点がゲームやアニメのキャラクターとの最大の違いである。

僕はＡＶＩＴＡのアバターのデザインには直接はタッチしていない。ゲームを長年作ってきたアートディレクターが担当している。ただしＡＶＩＴＡのポリシー策定は僕が行った。その基本方針はどのクライアントに対しても、またどのデザインに対しても貫いている。たとえば男性型、女性型のみならず、中性タイプのアバターも作ると決めている。これは「平均顔」アンドロイドのリプリーＱ１、男性にも女性にも大人にも子どもにも見える、テレノイドから続く系譜にある。「平均顔」「中性」のアバターは、接した人がそれぞれ自由に想像を膨らませやすい。性別や年齢を問わずウケがよく、顔に対して「嫌い」と言う人がほとんど生じない。特別な好悪を生じさせないほうがビジネスユースには向いている。

ＡＶＩＴＡのアバターは、どんなユースケースを想定しているのか。

たとえば店舗や会社の受付に設置されたディスプレイ、あるいはウェブサイト上にリアルタイムレンダリング機能を有するアバターが表示される。そこに操作者がリモートで入って接客や案内、受付業務を行う。こういったものだ。

僕らはパソコンやタブレットに付いているような一般的なウェブカメラひとつで、操作者の身体や表情の動きをモーションキャプチャして、アバターに反映する技術を持っている。だから特別なモーションキャプチャ用の装置を用いなくても簡単に使える。もちろん、操作者の動きのトラッキングやアバターのリアリティーを上げようとすれば、ゲーミングPC程度のマシンスペックは必要になる。とはいえ実空間にロボットを設置するのと比べれば、かなり安く済む。

AVITAには数多くの法人のVTuberをプロデュースしてきた、SNSマーケティングのプロが参画している。彼らとアバターおよび操作システムの制作者がチームを組み、クライアントからの依頼に基づいて、オリジナルアバターの制作と運用をゼロからサポートする。VTuber事業を手がけるわけでも、他の企業のVTuber事業のノウハウをアバタービジネスに応用しているのである。

さまざまな企業に対し、僕らが事業の説明をしながら「こういう使い方ができます」と言うと「あ、うちのこういうところにぴったりですね」などと、すぐに具体的なビジネスの話に入ることができる。これはVTuberが市民権を得たおかげだろう。「アバターの中に人が入る」「本人の見かけとアバターの見かけが異なる」ということがどんなものか、たいていの人間がすぐに理解できるからだ。

もっともビジネスユースのアバターは、VTuber制作とは異なる点がある。「操作者が見せたいもの」ではなく、「そのサービスの顧客に支持される存在」を作ることだ。プロダクトアウトの自己表現ではなく、マーケットインの発想でアバターを制作・運用するサポートを行う。VTuberにとっては個性やエンタメ要素こそが視聴者には重要な要素である。だが、たとえば病院や役所で利用者の案内を担当するアバターならば、人によって好き嫌いが激しく分かれるような個性や娯楽要素はないほうがいい。

とはいえ、無個性だからといって印象が悪く、とっつきにくい存在であっては意味がない。利用者が話しかけやすく、また、話を聞いてくれると思える存在でなければならない。こういった部分に、僕らがテレノイドなどで培ってきた研究の知見、開発や運用のノウハウが活きてくる。利用者の想像をポジティブに触発し、話しやすいと思ってもらえるデザインのアバターが、僕らなら作れる。もちろん、中性的なアバターよりも、もっと典型的なキャラクターを入れたほうがいい場合もある。とある企業からは女性のキャラクターをオーダーされ、アニメ風のキャラを導入したこともある。

また、実際の店舗でサービスを提供することを目的としていることも、AVITAのアバター事業がVTuberと異なる点だ。VTuberは自分のチャンネルで自分の個性を表現すればいいが、商店街やショッピングモールなどにある店舗においては、その実空間にふさわしく、顧客に受け入れられやすいアバターが必要になる。たとえば、家族連れが多い場所に露出度の多いアバターを出すような場違いなことは当然しない。

企業にはそれぞれ、たとえば「ファミリー向けの店舗で接客業務を担当してほしい」とか、「クレーム対応に使いたい」といった機能・職能に関する要望がある。それに加え、外見や振る舞いに関して「こんなアバターがいい」と具体的なイメージを持っていることもある。ただ、依頼者のほとんどは、これまでアバターを作ったことも使ったこともない。果たしてそういった具体的なオーダーは、受け手から見て適切なのか。その勘所をつかまえている企業はなかなかいない。AVITAでは、僕らが研究で行ってきた数々の実験の結果を踏まえ、「そういう用途なのであればこういうタイプがいいのでは」といった提案をしている。結果、6、7割はこちらの意見が受け入れられているという印象だ。

AVITAのアバターはクライアントの意向に合わせて丁寧に制作しており、今のところ1体作るのに1か月かけている。人間そっくりのタイプだと、髪の毛一本一本作る場合もあり、数か月かかることもある。

❷メタバースの制作支援

ＡＶＩＴＡではアバターサービスのみならず、オリジナルでハイクオリティな、メタバース空間の開発も支援している（空間作り自体はＡＶＩＴＡではなく提携企業が行い、自社開発はしていない）。僕個人は人々がＶＲゴーグルを着けて、メタバースで長時間過ごすようになることよりも、実空間でのアバター利用に着地するほうが本命だと考えている。とはいえメタバースもアバター共生社会の一翼を担うものである。アバターの可能性探究には、メタバースでの利用も重要だ。何よりメタバースを入り口に、アバターの効用に気付いてくれる人がいるならば、それに応えていく。

少人数での対話を、小さなメタバース空間で、ＣＧアバターを用いて行うことに関しては、Zoomなどのウェブ会議ツールよりもリアルに近い情報量、細かいニュアンスの伝達が可能である。これはＡＶＩＴＡではなく大阪大学の僕の研究室での研究だが、メタバース内で動くＣＧアバターが、対話内容から自律的に身振り手振りや視線の動きを付けてくれるという機能を備えている。物理アバター（アンドロイド）でも、声から視線の動きや身体の向きを自動生成する技術を研究しているが、３次元空間に置いたＣＧアバターでも、同様の技術を用いたコミュニケーションツールを作っている。Zoomでは対話している人間同士、視線がなかなか合わない。一方で自分の分身（ＣＧアバター）が３次元空間であるメタバースに登場し、声に合わせてアバターの口が勝手に動き、聞いている側はしゃべっている人のほうを勝手に向く仕様にすると、非常に話しやすく感じる。普段、人の顔を見て話さない人がいるが、このシステムを使うと、話者の声から空間的な位置関係を自動で合わせてくれるため、強制的・自動的に視線が合うのである。この研究をしているチームは時折、みなでこれを使ってミーティングをしているが、学生はこちらのほうが僕としゃべりやすいとか、Zoomよりもアバターを使ったほうが対話に対する不安がないと話していた。Zoomは画面が平面的だが、メタバース内のアバターだと同じ部屋にいる感じがする。そのため、会話のニュアンスが伝わりやすく、対話者への親近感も湧きやすい。画面内にパワーポイントのスライドを表示するといったことも可能であり、利便性が高い。

このような小規模な空間で、限られた人数で深い会話を行うようなサービス、たとえば会議やカウンセリング、商談を行うものについては、メタバース×CGアバターの現実的なビジネス利用の可能性があると僕は感じている。もっとも、ここで書いた話は大学での研究段階にあり、ＡＶＩＴＡですぐに顧客に提供できるものではないが、いずれそうしたサービスが可能になるだろう。

一方で、数十人以上を同時に、広大なメタバース空間に接続するサービスの未来に関しては、僕は今のところやや懐疑的である。そもそも現行の技術では、同じメタバース空間への同時接続は、100人くらいが限界である。どれだけ高精細なグラフィックにするかにもよるが、たとえば全世界をつないでバトルロイヤルを行うゲーム『Fortnite』は100人から始まって最後のひとりになるまでを競う。「あるメタバースに数万人を同時に集めてイベントを開催したい」と思う企業は多い。だが『Fortnite』並みにさまざまな工夫を施しサーバーを強化してやっと100人同時なのである。普通のメタバースでは、実際にはひとつのルームに同時接続できるのは10人とか、せいぜい30人くらいが限度だ。「同時接続○万人」などと謳《うた》い、同じ空間に無数にいるように見えても実際はダミーだったり、コミュニケーションが取れるのは同じルームにいる数十人だけで、別室にいる人間とは接触が難しかったりする。VR空間で本当の意味で数万人、数十万人単位の同時接続を可能にするにはマシンのGPU(Graphics Processing Unit: リアルタイム画像処理に特化した演算装置、プロセッサ)が、今の数十倍、数百倍の性能にならなければ難しいだろう。

くわえて、大量のビデオデータをやり取りする通信インフラも必要となる。アバターの接続が途切れたり遅延したりしないように、通信を担保するインフラをどう作るかが問題となる。

高精細画像での数十万人同時接続が可能になると、エネルギー問題も生じる。たとえば理化学研究所のサイトによれば、理研が作ったスーパーコンピュータの富岳が全力で計算するときに使う電力量は1時間で30メガワットだが、4人家族が1か月に使う電力量は400キロワットと言われているから、これは約6年分（75か月分）にあたる。別にメタバース運営にスーパーコンピュータを使うわけではないが、この例から、計算量が増えるほど電気代がかかることは、わかってもらえるだろう。リモートワークの利点として、「飛行機で出張しなくて済むのでCO_2排出抑制につながる」などと言われていたが、実際にはメタバースが充実し、通信量が増えるほど電力消費は激しくなる。いずれ技術が解決するとは思うものの、カーボンフリーでサステナブルなメタバースを指向する必要がある。

Metaなどが目指している「ビジネスも余暇のアクティビティも何でもできる広大なメタバース」よりも、現時点では僕らが推進している「現実世界でのアバター利用」や「少人数のメタバース内対話」のほうが、多少なりともエコである。

❸ポータルサイトの開発

ＡＶＩＴＡでは、アバターを活用したオリジナルのサービスの開発も行っている。アバターを作って店頭に置いて終わりではなく、アバター込みで事業のＤＸを促進する。アバター、メタバース、ウェブサービスはいずれも「作っておしまい」ではない。僕らの長年の実証実験の知見を活かし、接客データを解析し、今後の改善案をレポーティングすることで、PDCAサイクル（Plan-Do-Check-Act cycle）を回すという運用部分にも携わる。たとえば大手人材派遣会社とアバターセンターを共同で作り、アバターを使った人材派遣について話を進めているところだ。

AVITAでは、大阪大学やATRで培ってきた技術や知財を、ムーンショットと大阪・関西万博での取り組みとも掛け合わせる。研究開発の成果を、ビジネス活動というかたちで、社会に還元していく。

ただしアバターの社会実装や日本社会の変革、そしてアバター普及の世界展開を一気呵成《かせい》に進めることは困難だ。そのことは、僕らも重々承知している。

それにはこれまで述べてきた、社会の側が受け入れる素地が高まっていく必要に加えて、制作側の環境整備も必要になる。現状、メタバースやCGアバターを作る人材は、不足している。といっても、作れる人材がまったくいないわけではない。ゲーム業界にはそれなりにいるのだが、なかなかその業界の外の転職市場には出てこないのである。ウェブやコンピュータ側のフロントエンドエンジニアも、サーバーサイドをやるバックエンドエンジニアも足りていないし、CGデザイナーも、特に米エピック・ゲームズ（Epic Games）が開発したゲームエンジンUnreal Engineを使えるエンジニアがいない。リアルタイム３Ｄ制作プラットフォームとしてUnreal Engineを使える人材は、これからどんどん必要になる。だが日本では探すのが困難だ。日本語の対話サービスを展開しているのに、作っているのは外国人のほうが多い会社もすでにある。国内人材の育成・確保は急務である。

ともあれ、実空間にロボビーやジェミノイドのようなロボットを設置していくのに比べて、コストが安く、メンテナンスも簡単な、実世界で稼働するＣＧアバター事業から、ＡＶＩＴＡは進めていく。これは過去にロボットハードウェアでチャレンジして、消えていった企業が多いことを踏まえてのものだ。

◎ロボットとアバターの違い——口、目、身体の動き

すでに少し触れたが、ＡＶＩＴＡのＣＧアバターには、僕らがジェミノイドなどで培ってきた技術が応用されている。もちろん現実空間で稼働するアンドロイドや、ロボットとディスプレイ上で稼働するＣＧアバターでは違いも大きく、そこが興味深くもある。少し紹介しよう。

たとえば、アンドロイドの遠隔操作機能を開発する上でのポイントのひとつは、唇の動きだった。実空間で稼働するアンドロイドの口の動きは、声とおおよそ一致する必要がある。これが全然一致しないと、アンドロイドがしゃべっているように聞こえないのである。

CGアバターも同様である。口の動きと声がおおよそ一致する必要があり、さらにはその動きが声に対して0・1秒から0・2秒程度先行するほうが自然に感じられる。しかし、僕らが作っているアバターでは、操作者の声からアバターの動きを生成している。操作者が何かを話すと、それに合わせてアバターの口の動きや、それに付随する身体の動きを表示する。だがこの順番通りに見せてしまうと、アバターから声が先に出て、口の動きがあとに来る。今言ったように、これでは聞いている側が不自然に感じるのだ。だからコンピュータが操作者の声の認識をして、すぐにその声をアバター側のタブレットやスピーカーから出すことが可能であるにもかかわらず、ソフトウェア上ではすぐに声を出さない。操作者の声からアバターの動きを生成し、それを表示したあとでアバターの声を発するように、あえて声を遅らせているのである。

CGアバターと生身の人間との対話を自然にするには、生身の人間であれば自然に、無意識のうちにそうしているように、アバター側も「相手はこう動くはずだ」と予測して身体を動かす必要がある。たとえば人間は会話しているときにある程度「間」ができ、沈黙の時間が生まれると、それを埋めるために何か話をしたり、動きを始めることが多い。つまり相手の動きや自分の少し前の動きから、次に何をするとコミュニケーションが続くのかを、予想して振る舞っている。CGアバターでもこれと同様の振る舞いが可能なように、自分の次の動きを予測し、自動でアバターの身体を動かすような研究をしている。現状ではうまくいくときといかないときがあるが、ERICAやコミュー、ソータなどで培った対話技術の知見も応用しつつ、CGアバターの性能を逐次向上させているところだ。

また、「口」の動きだけでなく「目」の動きも重要だ。人間の目の動きのパターンは、見る対象によって異なる。人間そっくりのアンドロイドと話す場合、ワカマル（ロボットらしいロボット。37ページ参照）と話す場合、人間と話す場合の3つの場合に分けて、5分ほど対話してもらい、そのときの訪問者の目の動きを調べる実験を行ったことがある。この実験の結果、アンドロイドと話をするときの訪問者の目の動きと、人間と話をするときの訪問者の目の動きは90％以上一致していた。しかしワカマルと話をするときの訪問者の目の動きは、アンドロイドや人間と話をするときとはまったく異なっていた。人はアンドロイドが「人間ではない」と判断できるにもかかわらず、アンドロイドを観察する人の目の動きは、人間を見るときの目の動きと同じだったのだ。

ではCGアバターと接しているときには視線の動きはどうなるか。ディスプレイに映るC

Gアバターと対話すると、見る位置を変えても絵の中の目と視線が合ってしまうのだ。これをモナリザ効果という。実際には第三者視点で見ると、対話者とCGアバターとは必ずしも視線が合っていないのだが、一対一でアバターと対話している当事者は、多少斜めからであっても視線が合っているように感じる。これは実空間で稼働する、人間そっくりのアンドロイドやロボットらしいロボットとも、もちろん人間相手とも違う現象である。目線が合っている相手のほうが、目線が合わない人間と話すよりも、会話に集中してもらえるという利点がある。

ただし課題もある。複数人との対話ではこういう現象が起こらないのである。一対一なら視線が合うのだが、ある人がアバターが映るディスプレイの正面におり、別の人が斜めの位置にいると、別の人から見ると、ディスプレイの正面にいる人とアバターが視線を合わせているようには見えない。CGアバターの場合に一対多数の対話で、どんな風に視線を送れば受け手の満足感につながるのかについては、まだまだ研究の余地がある。

口、目の次に、身体の動きについてはどうだろうか。

僕がこの本の冒頭で「アバターが実世界でも稼働する」と書いた文章を読んで、メタバースで稼働しているアバターと同じデザインの、等身大フィギュアのようなロボットが、実空間で稼働するイメージを抱いた人もいるかもしれない。果たしてそれは可能なのか。ロボットとＣＧアバターでは、身体の作り方はどう異なるのか。

実際の人間の動きをモーションキャプチャして、ロボットやＣＧアバター作りに活かすことは、すでに行われている。ＣＧでシミュレーションしてから、ロボットに反映することもよくある。ではＣＧアバターのデザインそのままのロボットを作れるか。そう簡単ではない。というのも、人間とロボットとＣＧでは、それぞれ骨格と筋肉の構造が異なるからだ。ある人間の動きをモーションキャプチャしたとして、アンドロイドで再現した場合とＣＧで再現した場合では、違った動きになる。人間とまったく同じ動きをさせるには、人間とまったく同じ骨の構造を持っていなければ不可能なのである。

ロボットは、骨の代わりに回転する軸などを作って、人間のような動きを可能にしている。人間の骨と筋肉と皮膚、ロボットの金属で制作した軸とアクチュエータとシリコンとでは、そもそも重さも強度も何もかも異なる。人間と同じような見かけと動きを再現しながらも、重力に耐えうるものを作ることが重要になる。

くわえてロボットが人間に格段に近づくには、人工筋肉と人工皮膚を実現する必要がある。だが、それらの実現方法はいまだ見つかっていない（もしこれらを実現することができれば、たくさんの人間らしい機械、生物らしい機械が登場し、世界は硬い機械の時代から、柔らかい機械の時代に移り変わるだろう）。

ＣＧアバターの場合、人間同様の骨格をコンピュータ上で忠実に再現することは可能ではある。しかし骨格と筋肉を再現したとしても、たとえば肘を動かしたときに、グラフィックのテクスチャー上で肘の内側の肉が重なってめりこんで見えてしまったりして、見映えが悪くなってしまうことが起こる。ゲームでキャラクターのＣＧが壁や敵にめりこんで見えたり、振り下ろした手が自分の身体にめりこんで見えたといった経験は、３ＤＣＧを使った（特に昔の）ゲームをしたことがある人なら珍しくもないものだろう。ＣＧアバターでは、対話者から見えている表面の部分を違和感なく動かすことが重要になる。そのためにはあえて人間の骨格や筋肉の動きを、再現しないほうがいいこともある。

したがってＣＧアバターを元にした現実空間稼働型ロボットを作ることは、不可能ではないが相当に工夫が必要になる。ＣＧアバターとロボットとでは、骨と肉の作り方、見せ方が根本的に異なるからだ。もっとも、長い目で見れば徐々にノウハウが蓄積され、実空間とメタバースで同じような見かけと動きができる、アバターが制作可能になっていくだろう。

◎好成績をあげたアバター接客サービス

さて、ここからは具体的な事例を挙げていきたい。すでにAVITAが関わって実施されたアバターコミュニケーションサービスについて紹介しよう。

ひとつ目は、人通りの多い大阪・難波の戎橋《えびすばし》にあるポップアップストアで、CGアバターがクラフトコーラを販売した事例だ。このときは、人間サイズの液晶の縦長ディスプレイを設置し、そこに店舗の制服を着た女性アバターを映し出し、遠隔で接客を行った。これによってアバターがなかった期間と比べて売上は約153%となり、期間中の店舗売上の約8割がクラフトコーラになるほどの変化があった。

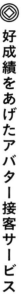

アバターに注目が集まり、より多くの人が店舗に目を向けるようになった。結果、アバターがなかった期間と比べて購入者数が約300%に増加した。

来客数や売上といった「数」だけでなく、生身の人間の接客との「質」的な変化も重要だ。アバターに3日連続で会いにきて販売を手伝おうとする人や、写真をいっしょに撮る若い世代、アバターに手を振る子どもなど、強い親しみを抱いてくれる顧客が増えた。もちろん、今はまだアバターが街中のそこかしこにあるような状況にはないため、物珍しさから近づいてきただけの人もいるだろう。アバターによる接客が、顧客エンゲージメントを高めることにどこまで再現性があるのかは、まだこれからわかっていくところだ。だがひとまずは、新しい存在として、広く受け入れられる可能性が確かめられたと言える。

ふたつは、JR西日本グループとの協業でアバターによる野菜販売事業を開始した事例だ。これは関西近郊で採れた新鮮な野菜を関西で消費する「地産地消の促進」と、障がい者が社会参加するきっかけを作る「障がい者の就業支援」を目的としている。最初のトライアルでは淡路島在住のアバターワーカーが、アバターを操作した。

このときはオフィスのロビーや駅などに農産物の無人販売所を設置し、アバターはまず自律的に、通り行く人に声がけを行った。そして立ち止まった人に対してオペレータが有人対応を行ったのである。接客や営業の仕事では、商品にそれほど興味がない人や「話しかけてほしくない」と思っている顧客にも声をかけなければいけない。無数の人に無視され、断られ、時に攻撃的な態度を取られる。これは心理的にも肉体的にも負担が大きい。しかし自律型アバターを用いれば、気が重いファーストコンタクトの部分は、人間がやる必要がない。アバターに対して好反応を示してくれた人、多少なりとも関心を持ってくれた人を中心に、遠隔操作で入って詳細の説明や対話をしていけばよい。だから初対面の人間に対して気後れするタイプの人であっても、比較的うまく接客ができる。

結果、売上は当初の想定よりも非常に高いものとなった。また、アンケートでは高い顧客満足度も得られた。特に電子決済の使い方やおすすめの調理方法を教えたことに対して「役に立った」という声が聞かれた。

◎ローソンとの協業

ＡＶＩＴＡは、日本全国に１万４０００店以上、および中国に５０００店以上を展開する、株式会社ローソンとの協業を２０２２年９月に発表した。未来型店舗グリーンローソンにて同年11月末からアバターによるリモート接客を始めるべく、ローソンの公式サイト上でアバターオペレータの募集を開始し、実証実験に取り組んでいる。２０２３年度には50人程度のアバターオペレータを育成し、２０２５年には１０００名を認定して日本全国の店舗に入り、ゆくゆくは外国の店舗でも活躍できることを目指している。

アバターワークであれば、足腰の弱った高齢者や移動の困難な障がい者の方でも勤務が可能になる。ローソンとＡＶＩＴＡとの共同記者会見で見せた接客デモンストレーションでは、淡路島から白髪の男性が、黒髪の青年アバター「そらと」に入って、複数のディスプレイを移動して、セルフレジでの買い物をサポートするリモート接客を行った。また、厚生労働省の国際障害者交流センター（愛称ビッグ・アイ）での障がい者向けアバター研修の模様も、ビデオでメディア向けに公開した。

「セルフレジ」は「セルフ」なのだから、アバターがサポートしたら「セルフ」ではないだろう、と思うかもしれない。しかし実はセルフレジは「クレジットカードをどこに入れればいいかわからない」とか、コンビニならではの「切手を買うときにクレカや電子マネーが使えない」といった細かいレギュレーションによって、利用がつまずいてしまうことがよくある。誰かがほんの少しサポートしてあげればすぐに解決するのに、パッとはわからず時間を食ってしまうのである。そういう場面でアバターが対話しながら手伝うことで、利用に対してのちょっとした障壁を取り払うことができる。

またたとえばコンビニの仕事では、棚に商品を並べる品出しや、掃除中にお客さんから声をかけられたり、レジに人が必要になったりして、作業が中断することが日常的に起こるが、そういうときにアバターがレジ作業や問い合わせを引き受けるなど、リアルとリモートで分担ができれば、オペレーション効率が高まり、顧客の利便性も高まる。リアルでの働き方ではなかなか難しい、通勤・通学ラッシュの朝や昼休みなど混雑する時間帯に、１、２時間だ

㉒ローソンの店頭でインフォメーションを発信するCGアバター
©株式会社ローソン

けリモートで入ってレジ作業を中心にサポートするといった、勤務形態も可能になるかもしれない。

ローソンではすでに、働きたい人とスタッフが必要な店舗側が使える、マッチングアプリを活用している。これにアバターワーカーが加わると、東京にいながら北海道の店舗で働くこともできるし、かつてローソンでアルバイトしていた元留学生が、帰国後にベトナムやモンゴルなどから、当時働いていた店舗や見知らぬ日本の土地にある店舗などで働くことができるようになる。あるいは、日本人が日本にいながら中国やフィリピンなどにあるローソンで働けるようにもなるだろう。

働き手の属性や勤務形態が多様化するだけでなく、アバターを使えば提供サービスも多様化させることができる。ローソンでは、介護相談窓口などを設けた、ケア（介護）拠点併設型店舗ケアローソンを全国20店舗で展開しているが、そこでは国家資格を有したケアマネジャーが常駐して相談を受けている。しかし当然ながら相談があるときもあれば、ないときもある。今後はアバターを使えば、有資格者がひとりいれば複数店舗に対応できるため、こういうスタイルの店舗を拡大していける可能性がある。

同様に、薬局・薬店・ドラッグストアなどで、処方せんなしで購入できる医薬品であるＯＴＣ医薬品を取り扱った、ヘルスケアローソンも全国１７０店舗以上で展開しており、こちらも販売時には薬剤師が滞在している必要がある。法改正の必要はあるものの、ＯＴＣ医薬品もアバターで販売可能になれば、顧客の利便性が高まるだろう。

竹増貞信社長によると、来店困難地域を巡回するローソン移動販売サービスで高齢者の方と話すと、「電動スクーターの調子が悪い」「エプロンが古くなってきた」「あの薬が欲しい」「足腰が痛い」などの悩みを吐露され、さまざまなモノやサービスについて「こんな風に回ってきてくれたらいいのに」と言われることが多いのだという。ローソンがどこまでどう取り組むかは、現時点では不確定な部分が多いが、たとえば移動販売でもアバターがいて、有資格者が入って各種相談事ができるようになれば、少子高齢化、過疎化が進むなかでも高齢者や限界集落に住む人たちのニーズを満たすことが可能になるだろう。

ローソンは「マチのインフラ」を自負しているが、竹増社長は、これからはさらにさまざまな人やサービスが乗り入れる「マチの生活プラットフォーム」にしていきたい、そのためには単なる省人化、無人化ではなく、人のあたたかみを感じられるようなかたちでアバターを活用し、DXを推進していきたいと語っていた。AVITAはアバターを通じてその実現をサポートしたいと思っている。

◎アバターによって不安の解消をサポートする

このようにアバターを使った実証実験や事業は着実に成果をあげており、協業先も増えてきているが、まだまだ広げていきたい。現状、どんな事業者や生活者がアバタービジネスの顧客として考えられるだろうか。

AVITAでは人々が抱えるさまざまな不安の解消、および不安の解消を仕事とする人々のサポートを、提供価値として考えている。大きく4タイプの領域を想定しており、導入に注力していくつもりだ。その4つを紹介しよう。

❶精神的な不安の解消の領域――人に相談できない心の悩みを解消する

カウンセリング、コーチング、オンライン診療の従事者あるいは利用者にアバターを提供する。アバターを利用することによって生身の人間同士の対話よりも安心して、緊張せずに、また、プライバシーを保った状態で各種サービスを受けることを可能にする。

著名人や社会的地位の高い人のなかには、たとえば薬物やアルコールなどの依存症の互助団体に、生身の姿を晒して参加することが難しいケースもある（もちろん、そうした場では、今でも互いの事情についてその場以外では他言無用、秘密厳守が絶対的なルールである。だが、それを信じられないことが参加する側のハードルになっている場合もある）。しかしアバターを使うことができれば、素性がわかってしまうことを恐れずに、率直に悩みを打ち明け、仲間を作ることもしやすいだろう。

あるいは、現実世界で心の病気にかかってしまっても、アバターを使ってメタバースの中では、健康的に生きることができるかもしれない。虐待を受けるなど厳しい生育環境で育ったり、学校や仕事で追い詰められたりして精神疾患を発症した人でも、環境を大きく変えれば生き生きし始める人もいる。実世界の制約で心を病んでいるのならば、そこから解放される時空間を持てることには、大きな意味があるだろう。

❷身体的な不安の解消の領域——人に相談できない身体の悩みを解消する

AGA（男性型脱毛症）で悩みのある方、美容整形を考えている方が、外見に関わる病気やコンプレックス解消の相談を、いきなり生身の医者相手にするのはハードルが高いという場合には、アバター相手の相談もできるようにする。

また、感染症の流行下などで企業側、顧客側がともに生身の人間と一次接触すると、リスクが高いこともある環境（たとえば病院など）でのアバター導入もここに含まれる。

以上のように、❶と❷はアバターを使って、心理的安全性を担保できるようにするものだ。

❸不測の事態に対する不安の解消の領域——トラブルに備える

生命保険や自動車保険、家財保険などの商品説明、事業者側と顧客との対話においては、お互いに入口はアバターのほうが相談しやすい場合がある。また商品の正確・詳細な説明は、AIが自律で行ったほうが望ましいこともある。基本的な情報、商品説明はAIが自律で行い、人間は顧客の心に寄り添い、状況を把握することにより時間をかける、といった使い分けもできる。

すでに株式会社アドバンスドクリエイトが運営する、各種保険の比較・相談サイト「保険市場」では、ＡＶＩＴＡが制作したアバターを使った相談窓口が設けられている。自律型アバターではなく、遠隔操作で人が中に入って対応するサービスだ。利用者（相談した側）の姿は保険市場サイドには映らず、利用者はアバターと対話しながら、どんな保険がいいのかの基本的な理解を深める。その最初の相談で保険に興味を持つと、本格的な面談へと進む。保険市場ではほかにも電話やチャット、ウェブ会議ツールを用いたオンライン相談を実施しているが、本格面談へのコンバージョンが、アバターを用いた場合は、電話などでの対応の2倍程度である。保険市場では従来、落ち着いた雰囲気の女性とのオンライン相談が、最も成績が良かったという。それがアバターを使うことで、知識のあるベテラン男性でも、成約率を上げることが可能になった。電話やオンライン相談では、見た目や声のトーンで判断される傾向があり、そこでとっつきにくい印象を与えてしまうと、たとえ豊富な知識があったとしても、相談者からの信頼が得られず、次のステップまで進めることができないことがあった。しかしアバターを使えば、その見た目（容姿）を変えられるため、成約率を上げられるようになったのである。今後はアバターにボイスチェンジ機能も搭載する予定であり、この傾向はさらに加速すると想定される。

保険のように命が関わる商品や金額の大きい買い物では、きめ細やかな接客が求められる。だが、それを可能にするためには、買い手のプライバシーに踏み込まなければならない。しかし、買い手は高額商品、不必要なものを売りつけられることを警戒するから、なるべく情報を小出しにしようとする。すると事業者側は適切な案内が難しくなる。かといっていきなりズケズケと踏み込んだ話をすることもなかなかできない。お互いの距離の詰め方が簡単ではないのである。であれば、入口をアバターにし、顧客サイドは初めのうちは個人情報をマスキングした状態で相談し、信頼できると感じられた相手にのみ個人情報を含めて話ができたほうが、結果として生身の人間同士で相対するよりも気軽にサービスを利用しやすくなるだろう。

❹将来に対する不安の解消の領域——資産形成

不動産の売買など資産形成に関わるものだ。❸と似ているが、こちらは❸よりも、現在のプライバシー（どんな資産をどれくらい保有しているのか、など）に関わるセンシティブな情報を扱う。

❸と❹はアバターを用いることで、顧客から見た場合の話しやすさと、事業者側の商品・サービスの説明や、営業における説得力強化をともに実現するものだ。

今のところ、アバターを導入する会社は大企業が中心である。ある程度、余裕がなければ新しいことにチャレンジするのは難しい。だから大きいところから広まっていくのは自然な流れだ。ただ、AVITAのクライアントには小規模の法人や個人事業主もいる。

業種としては、やはりコロナ禍以降、いかに人と接触を避けながら生産性を上げていくかという課題意識を持つ業界、プライバシーを気にする顧客と接している業界、生産年齢人口減少のなかで働き手の確保をしたい業界が多い。たとえば先ほど挙げた保険業や病院などである。小規模企業や個人事業主の場合は、人間より個性的なアバターを置くことで、店に特色を持たせたり、新しいビジネスを試してみたいといった需要がある。

◎実社会でハブになるような総合アバター施設を設ける

これら4つのドメインを中心に、アバターサービスを社会実装していくために、AVITAではいくつかの企業と提携して、総合アバター施設を実世界に作れないかと構想している。それはどんなものなのか、イメージを語ってみたい。

総合アバター施設には、いくつものルーム、店舗が併設されており、アバターを映せるモニターが並び、異なる機能を持つ複数の種類の対話できるロボットがいる。たとえばアバターが接客をする小売店、ロボットを使った語学学習や教育が受けられるスクールや塾、アバター相手に気軽に話せる飲食店、大小いくつかの会議室やイベントスペースなどがある。リモートで仕事ができる場所もある。また、共通の趣味の人が集まれるミートアップイベントや異業種交流会、さまざまなマッチングが行われる。さらにはロボットといっしょに歌ったり踊ったりできるカラオケや、ロボットを使ってTikTokやYouTubeなどの動画の撮影ができ、演劇などの創作や練習ができるスタジオがあってもいいだろう。

それもこういう施設がどこかひとつにあるのではなく、日本各地のさまざまなところにあるようにしていきたい。ゆくゆくは各駅にひとつくらいは当たり前にあるようになればいい。場所によってアミューズメント要素が強いものもあれば、ショッピングが充実しているところ、塾やカルチャーセンターなど学習施設寄りのところがあってもいい。ただ、いずれにしても複合施設である。

この施設で提供しているサービスは基本的にはお金を払って利用するものだが、スポンサーが付いていて無料でできるアクティビティもあっていい。たとえば体験学習的なものや、新製品・新サービスのお披露目でアバター／ロボットを使う場合などは無料で試せたほうがいいだろう。また、駅のベンチや喫煙室のように、ちょっとした休憩に使える無料スペースも用意することで、人々とアバターとのタッチポイントを増やすことも重要かもしれない。

なぜアバターを使うのに、わざわざどこかの施設に出かけて行って利用するのか、と思う人もいるかもしれない。アバターはリモートで使えることがメリットなのだから、移動を伴うなら会社や学校に行くのと変わらず、アバターでやる意味はないのではないか、と。

アバター総合施設がリアル空間にあったほうがいい理由は何か。

まず、現状では多くの人がアバターやロボットを使ってどんなことができるのか、なかなかイメージができていない。だからアバター活動をディスプレイするショーケースが必要だ。さまざまな企業や自治体が提供する「アバターを使えばこんなことができる」というサービスに触れてもらう、アンテナショップ的な場所である。人々が「なるほど、アバターでこんなことができるのか」「こういうことができるようになったのか」と知る場所があったほうが、ウェブマーケティングやテレビなどのメディアを通じたプロモーション、ＰＲだけでアバターを世の中にアピールしていくよりも、ずっと早く広まるはずだ。

また、人々がアバターをどこかに出かけて行って利用することには、単に自宅でオンラインだけでアバター利用が完結する場合と比べてメリットがある。その場に来た人同士でリアルにも交流・活動できるハイブリッド型の空間にできる。趣味の集まりや習い事などは、オンラインで各自が自宅だけで閉じていると、少し寂しい気持ちを抱く人もいるだろう。かといって、リアルな集まりだけでは今度は参加人数が少なすぎて寂しいとか、そもそも人数が足らずに活動が成立しないことがありえる。リアルな場でアバターも使って集団で活動すれば、いいとこ取りができる。

くわえて、インフラの問題もある。ディスプレイにＣＧアバターを映すだけならスマホやタブレットで十分だ。しかし物理空間にロボットを置いてのリモート活動に関しては、個人が自宅にロボットを用意するのが難しい場合もある。また、コロナ禍のリモートワークやリモート学習で課題が浮き彫りになったように、日本の住環境では、家の中が狭い、騒音や話し声が気になるなどの問題が発生しやすいこともある。であれば、どこかにアバター利用が気軽にできる専用施設があったほうが、便利なケースも多いだろう。今でも家では勉強や仕事に集中できないので図書館やカフェ、ファミレスに赴く人がいるのを考えれば、どこかに行ってアバターを使うことも、不思議なことではない。プライベートな空間と仕事や勉強に関わる空間を分けたい、別の場所に移動したほうが頭の切り替えができる、という人はたくさんいる。

◎未来の駅の姿と可能性を探る

総合アバター施設は、たとえば駅や空港にあるといいだろう。

こう言うと「駅や空港はどこかに出かけるための場所であって、滞留するところではない」と疑問に思うかもしれない。

そもそも人はなぜ移動をするのか。たとえば出退勤や通学など、何かの活動をするためである。仕事や勉強などの活動がリモートでできるようになれば、移動自体をしなくなる。観光などの娯楽や余暇の活動以外の目的では、駅や空港に行く必要はなくなる。

日本の多くの人に関係する社会課題に、都市部の朝夕の通勤・通学ラッシュがある。アバター共生社会ではその緩和が可能になる。乗車率200%の満員電車に毎日乗らなければいけないとか、毎日何十分も渋滞しているなかでの自動車通勤などは、コロナ禍でなくても不健全、不健康だ。アバターを活用したリモートワークやリモート学習を当たり前のものにし、分散通勤・通学を促進して心身の負担を減らしていくべきだろう。都市部の通勤・通学ラッシュ、渋滞のひどさは日本だけの課題ではなく、インドや中国、タイ、インドネシア、シンガポールなどでも見られるものであり、国際的な需要が見込まれる。

ではそうなったときに駅や空港はどんな価値を提供するべきなのか。駅や空港は、人がある地点から別の地点に移動するために立ち寄る場所である。そしてそのために（またはそのついでに）買い物をしたり飲食をしたりする場所でもある。つまり駅や空港は、移動自体の機能のみを提供しているわけではない。移動と移動に付随して何かをする場所だ。その移動手段としてアバターが導入され、付随してできる何かがアバターによるリモート活動になる。アバター利用が当たり前になった時代に合わせて変化すれば、駅や空港は顧客から求められる価値を保ち続けることができる。

駅や空港に行けば自宅でするよりはるかに充実したリモート活動ができ、それに付随する買い物や飲食もできるようになれば、ある意味で駅や空港はこれまでと同じかそれ以上の機能を果たせる。何かの活動に際して、行きと帰りに立ち寄る場所が駅や空港だったのだから、何か目的のあるリモート活動を行うために、駅や空港が立ち寄る場所になればいいわけだ。

そして駅や空港では、目的の活動ができるだけではない。たとえば今は駅や空港の旅行案内はチラシやポスターで周知されているが、それがディスプレイに映る映像に代わり、アバター総合施設ではアバターを使って現地を覗《のぞ》く5～10分程度のお試し観光体験が気軽にできるようになる。それらが「実際に行ってみたい」という需要を喚起する。そして人々は鉄道や飛行機を利用して、今よりたくさん旅を楽しむようになる。これが未来の駅や空港のかたちだろう。

都市部への人口一極集中は、しんどい通勤通学ラッシュに揉《も》まれている人たちにとって課題であるだけでなく、鉄道会社にとっても長年の懸念材料なのである。乗車率が過密になることは事故やケガ、トラブルの元である。セキュリティを考えると、避けられるなら避けたいものだ。また、ラッシュが存在することによって、人流が最大化する時間帯をベースに駅員を雇用・配置しなければならない。しかしほかの時間はそこまで人が必要ないから、均《なら》せるのであれば均したい。「短時間に超満員の乗客が乗ったほうが儲かるから、鉄道会社はラッシュを放置しているのだろう」と思っている方がいたら、それは誤解だ。人口が郊外や地方に適度に分散し、普段はアバターを使ってリモートで働いたり勉強をしたりしつつ、仕事やショッピング、観光などで長距離移動する頻度は今よりも増える、というほうが嬉しいのである。

ショーケース型のアバター施設は敷地面積の広い空港や都市部の大きな駅向きだが、リモートワークやリモート学習、マッチングイベントのためのスペースは土地の安い田舎の駅にも十分用意できるだろう。

リモート学習に関して言えば、都市部であれば駅自体を拡張するなり、あるいは駅前などに児童・生徒・学生向けのサテライト教室を用意して、分散通学しやすくするのもいいかもしれない。いろいろな学校に通う人たちがその教室に来て机に向かい、それぞれヘッドホンを付けてディスプレイに表示されるアバターや、教室に設置された物理的なアバター(ロボット)越しに自分たちの学校のカリキュラムを学習する、といったものだ。リモート学習に対して「完全自宅学習ではだらけてしまう」とか「管理しづらい」「交流が起こりづらい」という懸念があるのであれば、小集団ごとに集まってリモート学習ができる場所を用意すればいい。学校側がその日の科目や学年ごとに学校の敷地への登校時間を8時、10時、12時などと区切り、登校時間が遅い組はサテライト教室にまず出席して勉強をし、そのあと学校に行く、という風にすれば、みなが同じ時間に集中して電車に乗る必要がなくなる。かつ、アバターを使わずリアルで触れ合ったほうがいい活動は、リアルで行うことが可能になる。

もちろん、鉄道会社や航空会社、学校に限らず、地方自治体が移住促進政策の一環として、アバター総合施設を用意するのも有効だろう。仕事や勉強がある程度どこでもできるようになれば、多くの人が住む土地を選ぶ際に雇用や進学事情が最優先事項ではなくなり、都市部への過度の人口集中が改善される。そうなれば地域ごとの「その土地にしかないもの」「その土地で暮らすと得られるもの」の価値が高まり、多様な街作りが進むはずだ。サーフィンが好きな人は波のいい浜辺の近くに住むだろうし、特定の魚や果物、お酒などが好きな人はその名産地に住む。あるいは街並みや景色、気候で選ぶ人もいるだろう。時間と空間を超えてさまざまな活動ができるようになるアバター共生社会では、リアルでしか体験できないことの価値、リアルだからこその良さも高まる。今のところアバターを使って「見る」「聞く」「動く」は可能だが、当分は「味わう」「匂いを感じる」といったできないことが存在するからだ。

すべてをアバター／ロボットを使った活動に置き換える必要はない。VRやARを使ったほうがいいこともあれば、リアルに生身の身体で体験したほうがいいこともある。人はそれぞれに他人と多様な関わり方をしながら、可能性を広げていく生き物である。自宅でひとりで効率よく活動することもあれば、集団のなかで刺激し合うこともある。テクノロジーが発達するほどに現実空間の本質的な意味、技術で置き換えられないものの価値、リアルで集まることの効用もまた明らかになっていくのである。

◎CGアバターの社会実装から、中長期的にはアバター／ロボット共生社会へ移行していく

このように、ＡＶＩＴＡのアバタービジネスでは、まずは対話や説明が必要なチャットを行う存在を、生身の人間からＣＧアバターに置き換えて市場を作ることを目指す。と同時に、アバターでどんなことができるのかを示す機会、場所を増やしていき、アバターの可能性を世の中に広めていく。

そのあとで僕らのアバター／ロボット研究の成果と多数の特許を活かし、より付加価値が高く、事業者が投資しても採算が合う領域から、人と関わるロボットに置き換えていく。普及すればするほど徐々にロボットの生産・運用コストは低減していき、長期的にはロボット型のアバター利用も当たり前になっていく。こういう筋書きをイメージしている。

ロボットとＣＧアバターには「相手側の空間に存在（感）がある／存在を送る」「生身とは違う容姿になって社会生活ができる」という共通点がある。だから人々がアバターに慣れてしまえば、ロボットというハードウェアを用いたものへの移行の障壁は、ほとんどコストの問題だけになる。

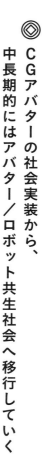

アバター／ロボットが活躍する領域を広げ、人とアバターが共生する社会を実現する。

僕は従来「情報化社会の先にはロボット化社会が来る」と語ってきた。ロボット化社会の前段階、その始まりの位置に「アバター共生社会」がある。

僕がその先のロボット化社会において見据えているのは、仕事の多くをロボットやアバターに委ね、それによって生まれた時間で人が「人とは何か」をより深く考える社会、心が豊かになる社会を作ることである。

人間存在とは何かについて考えられるのは、人間だけなのだから——このことは第六章の最後でもう一度触れることにしよう。

FUTURE SOCIETY IN HARMONY WITH AVATARS

第五章

仮想化実世界とアバターの倫理問題

FUTURE SOCIETY IN HARMONY WITH AVATARS

◎仮想化実世界とは何か

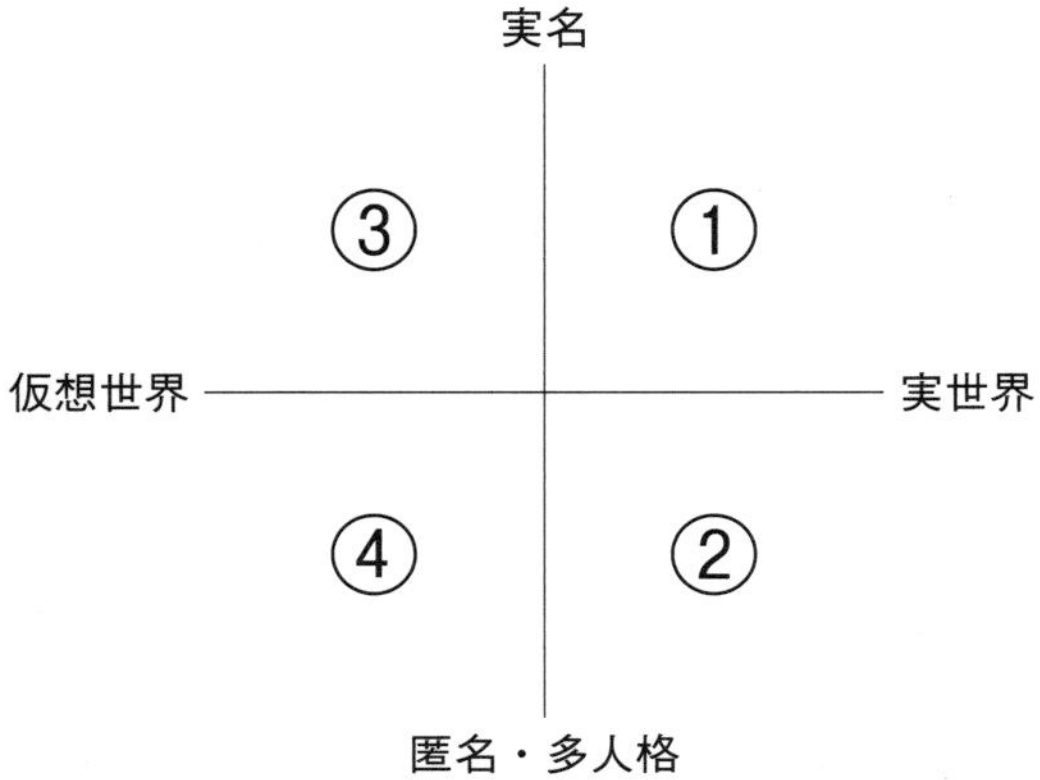

この章では、アバター共生社会の実現過程で起こるであろう問題について、考えていきたい。

まず、横軸に実世界―仮想世界を取り、縦軸に実名―匿名・多人格を取った四象限で、アバター共生社会を捉えてみよう。

インターネットが登場する以前の人類には、ほとんど①「実世界×実名」、つまり実名で過ごす実世界の生活しかなかった。

もちろん、ネット以前に実世界で、匿名の世界が皆無だったわけではない。たとえば国や地方自治体の政治家を決める普通選挙の投票は、無記名で行われているし、顔出しせずにペンネームで活動する作家もいた。

しかし身の危険から匿名で内部告発する場合であるとか、本業に支障がないように別名義で執筆を行う場合など、②「実世界×匿名・多人格」は、やや特殊なケースに限定されていた。

ところが1990年代に入り、インターネットの台頭とともに、仮想世界が人々のあいだに広がっていった。ネット上では実名で活動することもできるが、好きな名義で、好きなアイコンを用いて活動している人も多い。性別や属性を偽ることもできる。もっとも、犯罪を犯した疑いがあれば捜査機関に個人情報の提供がなされるから、完全に匿名で振る舞えるわけではない。だが基本的には実名の制約、実世界の地理的制約が取り払われた、④「仮想世界×匿名・多人格」の世界が、インターネットの登場以降には普及していったのである。

しかし「仮想世界×匿名・多人格」で完結した経済圏を作り出すことは難しかった。もちろんゲームやVTuberなどのエンターテインメント領域では「仮想世界×匿名・多人格」との相性が良く、人気のある動画配信者が多額の収入を得ていることは周知の通りだ。

だが完全に「仮想世界×匿名・多人格」でビジネスするには、たいてい決済や契約上の法的責任、信頼性の担保がネックになる。ゆえに実名と一切紐付かない経済活動は、ネットにおいてもいまだ限定的だ。

メルカリのようなユーザー同士が取引を行うC to Cサービスでは、お互い匿名での売買が成立しているように見えるかもしれない。だがそれは企業が仲介者として利用者の個人情報を把握し、問題があったときには介入できるようにしているからだ。信頼できる仲介者がいないなら、仮想世界での完全匿名での取引は、危険に感じて躊躇《ちゅうちょ》する人のほうが今でも多いだろう。

つまりビジネスが絡む領域では、ネットであってもいまだに実質的には③「仮想世界×実名」の組み合わせで成り立っているもののほうが一般的なのだ。大半のEC（Electronic-Commerce）サービスがそうだし、Zoomなどのウェブ会議サービスもそうだ。

ではこれからの時代は、どうなっていくのか。

テクノロジーの発達によって「実世界×匿名・多人格」の組み合わせからなる「仮想化実世界」が発達していくのである。これが本書で何度も言っているアバター共生社会だ。人々が実世界のあちこちに物理的に設置されたロボットや、モニター上に映し出されるCGアバターに乗り移って活動するという領域だ。

誰もがさまざまなアバターに乗り移り、違う自分になって実世界で自由に働くことができる。そしてそのアバターを本人だと認める「アバター認証」ができるようになれば、実世界と仮想世界を結びつけた労働環境が実現できる。この新たな環境が「仮想化実世界」である。

仮想化実世界では、アバターが操作者を生身の自分とは異なる新たな存在にし、さらには多数のアバターが新たな社会を実現する。そして同時に、アバターが持つ環境認識などのA

I機能は、操作者の認識能力を代行する。操作者個人の認知をAIに取り込み、多数のアバターが連携することで、社会の認知（社会的意識、人間関係、物事の意味）もAIが取り込んでいく。

いや待て、先ほど「匿名・偽名では実世界での経済活動はしづらい」と言ってはいなかったか、と思う人もいるかもしれない。それは、これまでの実世界での活動において匿名・偽名を使うケースが特殊な場合に限定されていたからである。アバターを用いて、実世界で自由に違う自分になれるなら、さまざまな経済活動に従事できる。

接客や講師業、警備などの仕事は、必ずしも実名でなければいけないわけではない。実世界では、求められている機能や役割が果たせれば名前は関係ない、という仕事は少なくない（この点は少しあとで詳しく述べる）。あるいは今でも、ゆるキャラが地域観光のマスコットとして活動していることを思い浮かべてもらってもいい。実名ではないキャラクターであっても、仕事ができる領域は多い。

「仮想世界×実名」のネットビジネスは、ＧＡＦＡＭなどの北米企業がリードしているが、実世界に仮想世界のアバターを重ね合わせた「仮想化実世界」の技術やサービスは日本が先導できるチャンスがある。ロボットやＣＧエージェント、キャラクタービジネスは日本が得意とするところであり、その組み合わせで勝負ができる。

もっとも、メタバースのほうが仮想化実世界よりも向いていることももちろんある。たとえばメタバースでは、現実世界に存在している物理法則を無視した世界の構築や行動が可能だ。そして没入感を伴って別世界を体験できる。「宇宙空間やファンタジー世界を旅行する」「ゲームをする」「派手な演出のライブに演者の間近にいるような感覚で参加する」といった、実世界では実現不可能な感動的な体験型エンタメに関しては、メタバースに軍配が上がる。しかしメタバースが仮想化実世界より得意とするビジネスは、娯楽や余暇消費の領域にやや限定されているのである。

◎「アバターは仮面であり、生身の自分こそが本物」ではない

脱線になるが、重要なので書いておきたいことがある。

人々のアバター使用に対して「アバターは仮面であり、生身の自分こそが本物」といった理解は、それほど筋がいいとは言えない、という話だ。

実社会で仕事をしているときにも、本人の人格というより、仕事上求められる性格を演じている部分が少なからずある。人間には、そもそも場面や相対する人間によって、いくつも

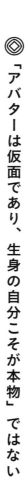

の人格を使い分ける多面性がある。「正しいひとつの人格」なるものは幻想にすぎない。

たとえば、在宅勤務でZoom会議をしているときに、自分の子どもが部屋に入ってくると「親の顔」をして対応しなければならず決まりの悪い思いをする、といった「あるある」を思い浮かべてもらえばいい。仕事をしている自分が偽物で、家族の前で見せている自分が本物、とは言えないだろう。どちらも社会通念、規範意識から来る役割演技が入っている。むろん「仕事をしている自分」「家族としての自分」以外に「本当の自分」がある、という理解も誤りだ。それは「自分と向き合ったときの自分」という一側面にすぎない。人間は誰と接しているかによって少しずつ振る舞い方、見せ方を変えるのであり、自分と接しているときには「自分と向き合っているときの自分」が表出されるだけだ。

また「すべての面を統合した統一体としての自分がいる」という考えも実態に即していない。それに囚われている人は、おそらく生きづらいだろう。たとえば仕事相手にするのとまったく同じ態度で家族に接し、友人に接し、ひとりでいるときもその態度を崩さず生きる人間を想像してみてほしい。人によって態度をまったく変えない人間など無理がある。そんな人がいたら、おそらく付き合いづらいはずだ。「人格が統合されている」「たったひとつの本物の人格」とはそういうことだ。

つまりこの社会は「人格が統合しているほうが生きにくい」のであり、場合によって使い分けられたほうが生きやすい。もちろん、こういう言い方に抵抗を覚える人がいることは知っている。「相手によって振る舞いを変えるのは良くない」という教育を強く受けてきた人ほど、その規範意識が実態としての「相手によって振る舞いを変えている自分」を受け入れることを拒絶し、こういう話を頑として認めたがらない。ただ、そういう人であっても24時間その人に対してカメラを回し、誰と接しているときにどう振る舞っているか、本当に人によって人格の使い分けをしていないかを客観的に確認してもらえば、その自負はたいていの場合は瓦解《がかい》するだろう。人間は相手によって振る舞いを変えているが、それは多くの場合、無意識にやっている。だから主観的には、「たったひとつの統合された人格」として生きていると感じている人がいてもおかしくはない。

しかし実際には時と場合によって人格を切り替えて生きている。そして1990年代以降、ネット空間ができたことで、それまで実世界では表出できなかった面を、さらに表出できるようになった。だからこそネット上のコミュニケーションや表現は人々を惹きつけ、これほどまでに巨大な仮想社会を形成した。アバターも同様に、人間がもともと持っている多面性をより顕在化させ、促進させる。

いろいろな世界を持つから、人はバランスが取れる。たとえば小中学校でのいじめやママ友いじめは「逃げ場がない」と感じているときに、よけいにつらくなる。たとえきつい環境であっても、その集団から離脱可能であり、また、その人にほかに居場所があれば「もう死ぬしかない」とまで追い込まれることは少なくなるだろう。仕事で日々プレッシャーに晒されている人も、「仕事をしている自分」から解放されて別のところでリラックスする時間、「別の自分」を持つことで、バーンアウトすることなくハードな仕事にまた向かうことができる。

人間は状況や環境に依存する生き物である。だからこそ人々がそれぞれ複数の環境に居場所を作り、適宜キャラクターを切り替えられるようになることは、生きやすい社会へとつながる。もしひとつの集団で成果をあげられなかったり、人間関係作りに失敗したりしたとしても、またほかのところに飛び込むことができれば、いつか居心地のいい場所にたどり着けるはずだ。それには生身の身体と本名だけで生きるよりも、アバター共生社会で生きるほうが適している。

たとえば、この世界には拭いがたくルッキズムが存在する。好むと好まざるとにかかわらず「顔がいい」「スタイルがいい」ほうが得をし、その逆の人が不利益を被りやすい社会になっている。だから美容整形を行う人がいる。アバターなら整形手術をするよりも安全で可変的に「見られたい自分」を作ることができる。美しさを求める空間に生身の身体よりも適応しやすくなる。身体障害者も、アバターがあれば身体に不自由がない人と同じように見られ、働くことが可能になる。生物学的な性（セックス）と性自認（ジェンダーアイデンティティ）とが一致しない人は、自分にしっくりくる見かけのアバターを使ったほうが生きやすくなる。

と同時に、アバター共生社会が実現すれば、容姿を重視する、障がいがないことやセックスとジェンダーアイデンティティの一致を前提とする、などというような狭量な価値観に、うんざりしている人たち同士で集まることも可能だ。醜い姿のアバターも作れるし、動物にもなれるし、中性のアバターも使える。ＴＰＯに合わせて服装を変えるのと同じように、場に応じたアバターにすることもできるし、もっと自由に自分らしさを打ち出したアバターに着替えることもできる。

「たったひとつの統合された自分」という人格観を抱いている人は「アバターをいくつも切り替えることが当たり前になったら、アイデンティティ・クライシスに陥るのではないか」と不安に思うかもしれない。しかし今でもTwitterのアカウントを複数持って切り替えて運用している人はいくらでもいるのであり、アバターをぽんぽん切り替えるのが当たり前になったくらいで、人々が人格崩壊を起こすとは到底思えない。

僕はむしろ、アバター共生社会においては「その人らしさ」が存分に発揮できる場所を見つけやすくなり、アイデンティティはある意味ではもっと強化されるのではないかと考えている。たとえば、代々医者の家系に生まれて両親から「医者として一流にならなければ、お前は人間として終わりだ」と刷り込まれて育った人は、現実世界でそうなれなかった場合には家庭に居場所がなく、自己肯定感が低い状態にあるかもしれない。しかしアバターを使ってまったく違う価値観の世界に飛び込めたならば、その人が居心地のいい場所を探し出すことができ、その人らしく生きられる時間ができるはずだ。他人から押しつけられた価値観ではない生き方をしやすくするアバターは、個人のアイデンティティを強化するとも言える。

技術は人々の倫理観や価値観を変え、選択肢を増やす。もちろん新しい技術がもたらすトラブルも起こるが、トータルとして見ればネガティブなほうには行かない。自動車ができる以前に自動車事故は存在しなかったが、交通事故が起こるからといって自動車を人々は手放さなかった。メリットが上回ったからだ。アバターも同じことになる。

人類の歴史において、人々の価値観はどんどん変わっている。たとえば日本では1960年代後半になるまで、お見合い結婚のほうが恋愛結婚よりも割合が多かった。今では「恋愛なしで結婚するなんて考えられない」という人が圧倒的だが、100年前にはそちらのほうがマイノリティだったのである。アバターが新しい生き方、新奇な人間関係を作り出すことに対して眉をひそめ、煙たがる人々も出てくるだろうが、若い人がそれを受け入れて日常化することで、気が付けば新しい価値観が「常識」になっていくのである。

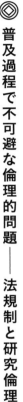

◎普及過程で不可避な倫理的問題——法規制と研究倫理

とはいえ、アバターの普及過程においては、さまざまな倫理的問題が想定され、開発・運用者は、自発的にこれらに対応する利用規範を定めていく必要がある。以下で述べるような倫理問題は、単に「長期的に見れば落ち着く」と完全に放置するわけにはいかない。摩擦を和らげる働きかけをしたほうが、より早く、より安全に、より人々が求めるかたちで普及することにつながるだろう。

具体的な話に入る前に、技術開発と研究倫理の関係について整理しておく必要がある。まず法と倫理の違いの確認からだ。ムーンショットでご一緒している新保史生《しんぽふみお》・慶應義塾大学総合政策学部教授によれば、法は「人の外部的行為を規律の対象とする」「その違反に対し強制を伴う」「国家の強制権力の行使と深く結びついている」という特徴がある。一方で倫理・道徳は「良心といったような人の内面性を規律する」「人の自発的意思によって遵守されるべきもの」である。

つまり、研究倫理とは、研究に携わる人々の内心を、個々人の合意の下に規律するものであり、たとえ「殺人を目的とした装置の開発は認めない」と、ある学会が策定したとしても、それはあくまで個々の研究者の自発的意思によって中止・停止するだけのものである。対して法規制は、その活動（研究）に対する社会制度としての「規律」である。法規制された場合、個々人の自発的な意思とは関係なく、強制的に活動を停止しなければならない。停止しなければ、刑罰が科される。

このような法の特質と機能（社会統制機能、活動促進機能、紛争解決機能、資源配分機能）を踏まえ、アバターの研究開発においても法と倫理を考える必要がある。

まず前提として、アバターに限らず科学技術の研究開発においては、極力、法規制という国家権力による制限ではなく、その研究分野や産業の従事者による倫理、言い換えれば自主規制によって対処すべきである。なぜか。

高度で新奇な科学技術になるほど、従来の法で対処できる／対処すべきと言えるかどうかの線引きは、難しくなっていく。だからといって研究開発に携わる人間たちを、いたずらに萎縮させるべきではない。基本的には当事者の倫理、自主規制に頼るかたちでセーブし、それだけでは社会規範の逸脱、混乱が制御できない場合にのみ法規制をするほうが、科学技術の探究・発展を促しやすい環境作りにつながる。

さらに言えば、技術に関する倫理問題では、技術の「開発」には極力制限を設けず、その

「使い方」に倫理的視点から制限を設けるべきである。開発された技術を安全、安心に「利用」することができれば、たいていの倫理問題は解決するからだ。

「その技術は開発すべきではない」とする判断には、社会や環境への影響を予測する高度な科学技術が必要になる。しかし、その技術がどのような影響を及ぼすのかを正確に見通すことは、当の研究者にすら難しい。たとえばインターネットの父と呼ばれるロバート・カーンとヴィントン・サーフはネットが今のようになるとは想像していなかっただろう。人類の歴史を顧みれば、ある技術がまったく別の技術に転用されて、大きな発展を遂げたこともあれば、軍事利用されて悲劇をもたらしたこともある。しかし、「予測が難しい」という理由で技術開発を停止することは、人類の進歩を止めることにつながる。現実的に考えても、さまざまな技術開発を止めることは難しい。

もちろん、ヒトクローンのように、多くの人が開発を制限したほうがいいという技術もある。しかしそのヒトクローンすら、実現可能性が高まってくると規制を緩めようとする学会の動きが出てくる。というのも、ヒトクローン技術は、難病治療などに用いることができれば、さまざまに人を救う可能性があるからだ。

つまり、ある「怖い」技術が実現不可能だと思われていた段階では、技術の不完全さや、人々のあいだにある懸念に配慮して、「技術開発をしない」という倫理規定を設けることがあるが、それが実現可能になる見通しができるとなると、その規定が緩められる（少なくともその検討が始まる）のである。

これは禁止されていたすでに利用可能な「怖い」技術に対して、安全な使い方を保証する技術が開発された場合でも同様である。たとえば最近の事例としては、自動運転技術がある。自動運転技術はこれまで未発達であったために厳しく法規制されてきた。だが日本でもレベル４（特定自動運行）に対応するため、２０２３年4月に改正道路交通法が施行された。また、ＬＳＤは長らく違法薬物とされてきたが、近年では重度の精神病患者に対する効果が認められ、アメリカを中心に、専門家が立ち会って適切なセッティングをした上での、医療的な利用が行われるようになってきている（むろん、依然として規制対象であることには変わりない）。

新奇な技術、使い方を誤ると危険な技術に対しては、必ず「悪用されたらどうするのか」という世間の声があがる。実際、技術が普及していく過程の初期段階では特に、悪用・濫用されることがしばしばある。しかし、そもそも悪用できない技術も、悪用しかできない技術も存在しない。どんな技術であっても人を傷つけるために使おうと思えば使えてしまう。だが、悪用さえしなければ、技術は人間社会の発展に寄与する。倫理規定と法規制を通じて悪用・濫用を防止し、技術を社会の発展のために用いればよいのである。

なお、新しい技術を怖がる人の存在は、当該研究分野や産業に従事するべき人間にとっての「倫理問題」ではない。常に、世の中のある程度の割合の人は新しい技術を怖がる。それは技術によって世界がどのように変わるか予測できないためであり、また変化した世界に適応できるかがわからないからだ。このような不安を抱く人たちに、技術の可能性や安全性を教えることは時に難しい。

変化を恐れ、新しい技術を恐れる人に対して取るべき対応は、技術の「啓蒙《けいもう》活動」である。仮に倫理的に問題になることが存在するとしたら、恐れる声があがっているにもかかわらずその技術を研究し、用いる人たちが技術の可能性を説明する啓蒙活動を一切しないことだけである。

もっとも、変化を恐れる人たちも、技術が世の中を変えてしまえば、その技術を自然に受け入れていく。たとえばエドワード・ジェンナーが天然痘《てんねんとう》のワクチンを開発する際、牛痘にかかった人の水疱から摂《と》った液体を健康な人間に接種することに対して、「牛になる」などと忌避感を抱く人も少なくなかった。だがその後、天然痘が大流行したときに予防効果が顕著にわかると、ワクチンは人々の間に急速に広まった。つまり有用な技術を開発し、普及させること自体が、その技術への不安を取り除く最良の手段になる。

現在存在する法や倫理は、基本的に「現在」の社会のなかで守るルールである。それらに厳格に従えば、新たな技術を開発して社会を変革すること自体が、法律違反、倫理違反につながる可能性を孕《はら》んでしまう。しかしそれを恐れていては研究開発ができなくなるし、社会は発展しない。ゆえに科学技術に携わる人間は、目の前にある法規制や倫理を考えることも重要だが、それ以上に、新たな技術によってどのような社会が実現されるかを想定し、その上で未来社会において、どんな倫理問題が生じるのかを考える必要がある。視点を未来に飛ばし、未来人のように考え、感じることで、その技術がもたらす社会の可能性や課題を見つめ、そのあとで現在に立ち返って、現代における倫理問題への対応を考えるべきなのである。

◎仮想化実世界でも、実世界のルールや倫理的規範と切り離しては考えられない

では、仮想化実世界でのアバター使用ではどんな問題が起こりうるのか。

まず前提となる重要なポイントは、実世界で稼働する以上、実世界のルールや倫理的規範と切り離しては考えられない、ということである。たとえば、アバターを使っての匿名的な仕事には利点もあるが、悪用を防ぎ、社会的な信用を担保するには、中に入っているのが誰なのかという、個人を特定する必要性も生じる。また、アバターによる能力拡張問題もある。

アバターを使えば人間にはできないような知覚・運動能力を使用でき、姿かたちも魅力的なものに自在に変えられる。だがそれゆえの心理的問題、法的・社会的問題も生じうる。

ただし、これらを解決しなければ技術やサービスが広がらないというわけではない。インターネットでも新しいサービスが生まれては社会問題となり、それへの対策がなされて徐々に健全な空間になっていったように、仮想化実世界もまた、その都度起こる課題を解きながら普及していくことになる。

たとえば「匿名・偽名で動ける領域がこれまで以上に増える」と言うと多くの人が心配するのは悪用、犯罪への不正利用である。もちろん、実空間に進出したアバターをクラッキングされて遠隔操作されることがないよう、サイバーセキュリティの強化が重要になる。

◎匿名・偽名での労働は実質的に今の社会でも行われている

そもそも「実世界で匿名や偽名（仕事用の名義）で働いて問題は起こらないのか」という懸念を抱く人もいるかもしれない。

だが先ほども少し書いたように、すでに実質的に匿名や偽名で働いている、ないし「匿名や偽名でも機能する」仕事はたくさんある。たとえば接客業であればホストやホステスは源氏名を名乗っており、本名で活動しているとは限らない。もっとも、水商売などは偽名であっても固有名とその人の個性が重要だが、飲食店のホールスタッフなどは客に対して、いちいち名乗らず働いていることが多い。つまり名前や個人としての特性がそれほど重要ではない仕事はいくらでもある。たとえ名札が付いていても「〇〇さんだからこのコンビニに行く」「〇〇さんがいないなら、この郵便局には行かない」といったケースは比較的少数だろう。

警察官など制服を着て働く仕事の多くは、基本的には個人的な情報を表に出さずに働いている。制服は所属組織を意味する。人々はその個人に対してではなく、所属組織に対する信用を感じている。顧客がいちいち「この人がいったいどんな人なのか」を値踏みするコストを背負わずとも、名前に注意を払わなくてもいいケースは、すでに社会で当たり前に存在しているのである。したがって、制服仕事にはアバターを有効に用いることができる。

しかもアバター労働では、ロボットの身体やAIを用いて、その仕事に合った身体能力や認知能力で働くことができる。感情表現も適切に行い、ホスピタリティ豊かにも対応できる。たとえば本人は無愛想で、はきはきしゃべることが苦手であっても、アバターが自律的ににこやかな表情を作り、音声を変換して通りの良い声に変えれば、顧客から求められている機能は提供できる。

◎アバター認証機構の必要性

ただし、これはアバターを遠隔操作しているのが誰なのかという「個人の同定」が必要ない、という意味ではない。

アバターを通じて自分に対してサービスを提供している人間が何者なのかが、事件・事故が起こったときにもわからないとなれば、サービスを受ける者にとっては不安である。生身の人間であれば、警察官にしろ医療関係者にしろ、本物なのか疑わしいと思ったときには、身分証の提示、有資格者である証拠を求めることができる。

一部のアバターにも、そのような身分証や資格証明書に相当するものを、社会が与える必要がある。いわば「アバター認証機構」とでも言うべき機関が必要となるかもしれない。具体的には、アバター認証にマイナンバーを利用するといったやり方などが考えられる。遠隔で中に入る本人のマイナンバーと、働くアバターの姿かたちを紐付けておけば、マイナンバーを通してアバターに信用を付加できる。

つまり、アバターを使えば何でもかんでも自由に発言や行動ができる、というわけではないということだ。当然ながら公共の範囲内での自由に限定される。たとえば現在でも、基本的には匿名で活動できるSNS上の発言であっても、誹謗《ひぼう》中傷による心的傷害、名誉毀損に対しては民事事件として追及できるようになっている。プロバイダは、問題となる発言をした人間の情報を、裁判所の命令があれば開示しなければならない。刑事事件であれば捜査機関に情報を提供している。これと同じようなことが、アバターに対しても社会的に求められるようになる。

また、物理的なアバターを用いれば、運動能力を拡張して人間よりも速く移動し、人間には到底、壊せないものも壊すことができるようになるだろう。そうしたアバターを、誰にでも自由に使わせるわけにはいかない。自動車を運転するのに免許が必要なように、運動能力が優れたアバターを利用するためには、免許制度を整える必要もある。どのような使い方をすればどのように人に危害が加わるのか。もし危害を加えたらどのように責任を取るのか。そういった問題に関して十分に学んだ者だけが、運動性能の高いアバターを利用できるようにすべきである。

多くの人が匿名で活動しやすくなり、匿名経済が円滑かつ安全・安心に回るようになるためにこそ、このようなしっかりとした本人認証や資格認証が必要になる。日常的に「このアバターに入っているやつは誰だ」と知りたいと思った誰もが情報を見られるのではなく、普段は「この人はこの仕事に関する資格を持っています」「信用できる存在です」という認証マークなどが表示されるに留まる。しかし、事件・事故、裁判の際にはしかるべき機関に必要な個人情報が提供され、きっちりと責任追及が可能になることが重要だ。

裏付けがあれば、アバターはより社会的な信頼を獲得できる。そうなればアバターによる経済活動は、ますます盛んになっていくだろう。日本でも近年、副業解禁が叫ばれるようになっているが、匿名・偽名のアバター労働はこの流れを加速させるだろう。

とはいえ、認証が済み、免許を持ってさえいればどこでも能力拡張されたアバターを利用できるというわけではない。たとえばカジノにアバターが行き、カメラでリアルタイムで撮影しながらＡＩによって統計的な推定を行われたら、カジノ側は商売が立ちゆかなくなってしまう。

ただしあらゆる場面で能力の水増しをするな、という話でもない。たとえば就職・転職試験でアバターの拡張された能力を元に採用されたのであれば、就職したあとも能力拡張をした状態で働けばいいだけの話だ。生身の人間であることを前提に設計されている場所に、不正にアバターを持ち込むことは制限されてしかるべきである、ということである。

なお、運動能力を拡張したアバターだからといって、人を傷つける可能性が人間よりも高いとは限らない。人体らしき物体が一定以上の距離に入った場合に、出力が自動的に制御されるようにする、といった制限をあらかじめ加えることができるからだ。アメリカでは警官が黒人に対してあまりに安易に発砲したり、暴力を振るったりすることが問題になっているが、アバター警官であれば発砲条件を細かく設定できる。ミスがあったとしても、軽傷で済む程度の抑止力に留められれば、警察の暴力行為が制限でき、誤った発砲による犠牲者も減らせるはずだ。

このアバター認証機構は公的機関が担うべきか、あるいは民間の業界団体が担うべきか、どちらが望ましいだろうか。政府が口を出しすぎると、アバターのマーケットができる前に潰されてしまう可能性が高い。したがって民間団体が主導し、基本的には自由にしつつも、社会的な信用を得るために自主的に規制をしていくことが望ましいように思う。先ほども述べたが、法規制は自主規制でどうにもならなかった場合の、最終手段として用いるべきだろう。

アバター認証機構が各アバターに暗号を埋め込んで認証し、住民票のようなアバター台帳を作って誰（どの会社）のものなのかを管理し、偽者防止ができれば、利用者の信用が担保できるし、セキュリティ的にも安心できる。もちろん、どんなテクノロジーもそうであるように、こうした認証機構があっても、悪用の可能性をゼロにすることはできない。ただし、本当に危ないところだけは、確実に抑えるような制度を整備するべきだ。

◎著名人そっくりのアバターの活動制限

ここからは、いくつかのケースを想定してアバターの倫理問題を考察してみよう。アバターを用いれば、人に非常に大きな影響を与える姿かたちで働くこともできる。僕らは夏目漱石や落語家の二代目桂米朝、タレントのマツコ・デラックスさんそっくりのアンドロイドを制作してきた。場合によってはこうした歴史上有名な人物や、現在活躍している著名人の姿をしたアバターを遠隔操作して働くこともできることになる。あるいはエリカがそうであるように、多くの人々が魅力的に感じるであろう姿かたちを研究して設計されたアンドロイドに入って、働くこともできる。これらのケースも運動能力の拡張と同様、適切に管理され、また必要に応じて免許制度が整備される必要があるだろう。

すでに著名VTuberの偽者が登場するような事件は起こっている。海外でVTuberの見かけのデータがコピーされて勝手に使われていた、という被害だ。今のところCGアバターは、仕様上ソフトウェアにプロテクトをかけづらい。というのも、さまざまなメタバース空間に入れるような生のデータを、用意しておかねばならないからだ。やろうと思えばできないことはないのだが、現実的にはロックをかけづらい。現状ではメタバースのフォーマットが統一されていないからだ。フォーマットの整備がなされていけばセキュリティは向上できるが、それがどこまで可能かは未知数だ。

一般人であっても偽物に活動されては困ってしまうが、有名人の姿かたちの場合はなおさらだ。著名人アバターの利用に対しては、どんな活動をするのか、どんな行動や発言は許容範囲外なのかを管理する組織や、法規制が必要になる。誰も管理・規制しなければ、悪用される危険性が高くなる。たとえばヒトラーのアバターを使って、人種差別を扇動する行為が起こるかもしれない。もちろんその場合には、ヘイトスピーチとして取り締まることは現行法でも可能だろう。

新規に管理・規制が必要となるのは、違法・社会的に有害とはただちに言えないが、アバターに使われた側のイメージを著しく損ねる行為・発言である。たとえば夏目漱石のアンドロイドに下品なことを言わせたり、いかがわしい健康食品の広告などに勝手に使われたとあっては、違和感を覚える人は多いだろう。

しかし、特定の人物をモデルにしたアバターがいることによって、当人が思いもよらなかった可能性を試せることには、さまざまなメリットもある。本人が着てみようとも思わなかった服を着せたり、思ってもみなかった髪型にする、あるいは見かけだけでなく、発言や行動面でも本人以上に大胆に振る舞うなど、その人物の多様な可能性を試してみることができるのだ。ただし、そういうことを第三者がいくらでも自由にやってよいわけではない。

とはいえ、たとえば源頼朝や武田信玄の肖像画を元にアバターを作ったとして、それを自由に使っても問題ないと考える人もいるはずだ。では故人である場合、いったい死後何年まで保護されるべきなのか。著作権と同様の保護期間で十分なのか。保護期間内にはどこまでの利用が許されるのか。こうしたことを議論し、決めていかなければならない。

現在活躍している著名人の姿かたちを利用する場合はどうか。むろん本人の許可を得る必要がある。肖像権の保護も前提となる。アバターの場合、操作者がその身体を使って活動した結果、本人の名誉を汚すこともあれば、逆に本人以上に有名になって本人のイメージを変えてしまう可能性もある。名誉を傷つけることはむろん問題だ。だがたとえば、本人ではない人物が、アバターを使って大成功を収めてしまった場合はどうか。アバター利用によって発生した利益は、操作者とアバターの元となった本人にどう配分されるべきなのか。あるいはアバターと本人の乖離《かいり》を、本人はどう受け入れるのか。受け入れられない場合に何ができるのか。そういった心理的な問題もある。

アバターには、元の人間よりも優れた能力を持たせることもできる。だがそれを本人は許容できるのか。「自分を元に作ったアバターよりも劣る力しか発揮できなくなった自分」に対して、人はいったい何を感じるだろうか。

「存命中の著名人のアバターは、本人の見かけや能力から乖離しないように運用しなければならない」という原則を作ったとしよう。しかし生身の本人は年を取って肉体は衰えても、さまざまな経験値は上がっていく。一方、アバターの見た目は、当時の姿をいつまでも保てる。では、乖離を生じさせないためには、本人の姿に合わせて、アバターのほうを何度も調整するべきなのか。CGアバターはともかく、アンドロイドのような物理的なアバターにも加齢をさせなければならないとすれば、限りなく運用コストが高くなるだろう（もっとも、現状ではアンドロイドの皮膚に使うシリコンは数年で経年劣化するため、そのたびに皮膚を作り替えなければならないのだが）。そして「本人に合わせてアバターも加齢させよ」という理屈を貫徹するならば、本人が亡くなればアンドロイドも処分する必要が出てくるだろう。

また、次のような問題もある。僕の分身であるジェミノイドや、タレントのマツコ・デラックスさんを元にしたマツコロイドはテレビ番組の企画で街中のあちこちに赴いて活動した。こうしたアバターの活躍によって、本人が与《あずか》り知らぬところにまで人間関係が拡張されたのである。なまじ存在感があるがゆえに、アンドロイドと実空間で接した人は、AIによる自律会話であっても仲良くなれた気がしてしまう。だからそのあと実際に僕やマツコさん本人に会ったときに、距離感が妙に近くなってしまうのだ。逆に僕らの立場からすると、アンドロイドが稼働することで、知らないあいだに勝手に人間関係が作られているような、なんとも言えない不思議な感覚を味わった。昔から、映画やドラマに出演した俳優が、その当たり役のイメージに引きずられて、本人の人格とはかけ離れたパブリックイメージを持たれて悩む、という話はよく聞く。仮想化実世界においては、著名人はもちろん、あるいは一般人にもそういう現象が起こりうるのだ。

◎アバターによって拡張された能力をアナウンスし、資格認証する必要性

ほかにもアバターによる能力拡張がもたらす懸念はある。

先ほども言ったように、アバターを使えば生身の人間以上の能力を持つことができる。たとえば高性能なカメラを用いて、人間の目では到底、見えない遠くのものを見る、赤外線カメラを用いて、人間には見えていないものを見る、外部に設置されたカメラやほかのアバターのカメラと連動して、環境をあらゆる視点から瞬時に観察する、といったものだ。人間には聞こえない音を聞くこともできるし、嗅覚も触覚についても、人間のそれをはるかに上回るものをアバターは利用できるようになるだろう。

そうしたアバターと関わるとき、相対した生身の人間は何の問題も感じないだろうか。人間は、ほかの人間と触れ合うときには、おそらく相手も自分と同じように話し、聞き、見て、感じる人間だろうという暗黙の前提を抱いて接している。よもや相手には自分が見えていないものが見えている、などとは思わない。しかし高度な知覚能力を持ったアバターであれば、本人が秘密にしておきたいことを、特殊なセンサーで感知してしまうかもしれない。

だがこんな懸念を抱かせるようになると、人々はアバターに対して安心して接することができなくなってしまう。だから相対しているアバターがどんなものをどれくらい知覚できる能力があるのかを、あらかじめ相手に知らせる仕組みが必要になる。

◎アバターに依存してしまう危惧

では、アバターにどれほど依存してよいものだろうか。

魅力的な男性や女性のアバターを使い始めた操作者が、アバターを使わずに活動するのが難しくなるという問題も考えられる。自分より見かけや声がきれいだと思うアバターを使うことで、生身の姿を人前に晒すことへの抵抗感が強まってしまう人もいるだろう。その見かけがきれいな人間の男女であればまだしも、アニメ調のイラストで描かれたキャラクターであったり、非人間的なものだった場合には、どうだろうか。

とはいえ、これは化粧と同じようなものだと思えば、たいしたことはないかもしれない。「化粧をしていない状態では人前に出たくない」と思っている人は多い。だがそれによって社会的に大きな問題は生じていない。化粧するか、マスクとメガネなどで顔を隠せば済む話だからだ。

今日では、光回線やWi-Fiなどの通信環境とパソコンやスマートフォンなどのデバイスがないと働けない人が大半である。それを思えばアバターの用意もこうした「仕事道具」のセッティングと同じようなものだとも言える。

ただし「仕事道具」と言っても、ペンやマウスのようなものとは少し異なる。ロボットやアンドロイドは、長く遠隔操作をすると、だんだんロボットの身体が自分の身体のように思えてくるからだ。自分の唇の動きや頭の動きと同期して動くジェミノイドでも、単に音声がスピーカーを通して相手に伝わるだけのロボビーでも、同様の現象が起こる。そして運用期間が終わって引き離された人は、文字通り身体が半分失われたような喪失感を覚える。これはおそらくCGアバターでもそうなるだろう。長時間触れているものほど、身体に馴染《なじ》んでしまう。特定のアバターに対する依存を避けるためには、普段から複数のアバターを使っていたほうがいいかもしれない。

◎アバターと自分とのあいだに疎外感を抱く

自分のアバターが活躍することは、人間が持つ承認欲求を満たすことに役立つだろう。ただし、他人が作ったアバターに「中の人」として入ったり、あるいは自分がモデルになったアバターが自分の手を離れて活躍してしまうと、疎外感を抱いて鬱になる人も出てくるかもしれない。アバターが褒められるほど、「自分が褒められているわけではない」と感じてしまい、自分と分身であるアバターを比較して、劣等感や嫉妬に苛《さいな》まれてしまうのである。

自分のアイデンティティを奪われたような感覚になるのかもしれない。「そのアバターも自分自身である」と思えるようなアバターの作り方や使い方と、そのアバターと距離を感じてしまう作り方や使い方がある、ということだろう。このあたりのことはアバターの利用が社会に広がり研究が進展することで、より具体的な傾向がわかり、その対策も講じられていくはずだ。

僕は何度も「先生は、最近ジェミノイドに似てきましたね」と言われたことがある。僕を元にジェミノイドを作ったのだから、本来これはおかしい。だが、まるでジェミノイドが主で僕が従であるかのような扱いをする人間が現れてきた。これはおそらく、その人たちがジェミノイドを見すぎていたからだろう。日常的にはジェミノイドのほうにばかり接し、生身の僕はときどきしか見ない人たちが、僕を「ジェミノイドに似てきた」と言う傾向が多いように思う。

そう考えると、普段は95%くらいCGアバターで働き、残り5%を生身の身体で出社したり、姿を見せて対話した場合、「アバターに雰囲気が似てきたね」とか「アバターの面影がありますね」などとアバターのほうを軸に語られることも、十分に考えられる。そのときには「自分の価値とはいったい何なのか」などとあまり深刻に考えずに、「普段、触れている割合が多いほうをメインに思うのは当たり前なのだ」と受け取るよう、アバターの操作者には事前に伝えておいたほうがいいかもしれない。

◎自律機能の働きに対して操作者はどこまで責任を負わねばならないか

「AIやアバターによって拡張された能力を用いての行動に対して、個人のアイデンティティとしてどこまで引き受けなければいけないのか」という問題もある。

　自律機能と合わせれば、ひとりで複数台のアバターを使って、複数の実世界に入り込んで指導することができる。そうやってテクノロジーによってアシストされた能力を元に、相対した人たちはイメージを作る。プログラムで補正していたので講演の達人に見えたが、生身の本人はそれほどしゃべりが上手ではない、といったことは十分に起こりうる。とすれば、本人が対応したときに「詐欺だ」「がっかりした」などということになりかねない。

　もっとも、この程度ならただのクレームで済むだろう。だがＡＩの自律機能や拡張した能力によって傷害や器物破損、誤情報拡散などの事態が生じた場合はどうか。どこまでを「本人の責任」として引き受けなければいけないのか。ＡＩが下した判断や自律機能が混ざっている場合には、その主体が意思決定したとどこまで見なしてよいのか。故意と過失の境目を、法的にどう判定するのか。

　ここでは、自動運転が引き起こす交通事故と同様の「ＡＩの責任問題」が発生する。操作者に責任があるのか。それともアバターのＡＩ機能に責任があるのか（つまりＡＩの制作者に責任があるのか）。

　この問題は、自動車保険と同様の「アバター操作保険」が生まれれば、金銭的には実質的に解決できる。しかし、法の整備も必要となってくる。

操作者の意思決定や行動の記録を元に、操作者の責任とＡＩの責任を評価し、それを操作者や被害者に提示する機能が、アバターに搭載されるべきかもしれない。交通事故でも自動車同士が衝突した場合、どちらかが１００％責任を負うことはまれだ。お互いの不注意、過失の度合い、すなわち過失割合に応じて損害賠償や慰謝料の金額が増減する。人間とＡＩの働きに関しても同様の機能の開発、ないしは法的な判断基準が示されることが重要になる。

◎法人所有の集団運用アバターの行為責任

法人が著作権を有するキャラクターのアバターに、契約した個人事業主が入って活動した場合には、自律機能や能力拡張に加えてさらにややこしい問題が生じうる。どこまでがキャラクターとして企業が設定した人格に沿って振る舞った発言や行動なのか、どこまでが中に入った本人の意思によるものなのか。トラブルや事件が生じた場合に、どんなケースにおいて、どちらがどこまでの法的責任を負うのか。こうしたことも考えられなければならない。

ただし、そもそも「法人」という概念自体が、株主や従業員個人とは別に集団を人格化して権利や義務を行使でき、責任を問えるようにしたアバターのようなものだ。集団運用するアバターの責任に関しても、社会制度として大きな無理を必要としないと思われる。法人アバターがしたこと、法人アバターでしたことにまで、無限に責任を負わなくてはならないとなれば、使用をためらう人は増えるだろう。したがって、利便性と罰に対する人々の納得感、法体系上の整合性を天秤《てんびん》にかけた上で、現実的な落としどころを探っていくことになるだろう。やはり過去には「株式会社」という概念が誕生したことで、株主が債務に対して無限責任を背負うという形態から、出資額に応じた有限責任へと変化したという歴史がある。この点もそれほど無理なく着地できる点を見いだせるはずだ。

◎アバターの所有権と相互運用性

アバター共生社会では、ひとりの人間が見かけが異なる複数のアバターを使うことが当たり前になる。

と同時に、どんなメタバースでも、また、仮想化実世界でも稼働できるような、統一アバターの利用も当たり前になっていくだろう。近年では、どのアプリケーションでも同じデータを使えて、ほかのデータと組み合わせたりバラしたりすることができることや、あるサービスが停止したり気に入らなくなったら、別のサービスに簡単に移すこともできるという複数のサービス間での相互運用性が、重視されるようになってきている。

市民革命によって旧体制の強引な徴税に反旗を翻した歴史を持つ欧米では、人々にとってきわめて重要な基本的人権として「所有権」が認識されている。巨大IT企業が個人のアカウントをさじ加減ひとつでBAN（利用停止）できること、ユーザーはSNSなどの「利用権」があるだけで、データを所有できるわけではないことに対する不信感、抵抗感が、いわゆるリバタリアン（自由至上主義者）を中心に根強くある。自分のモノやデータは自分が所有でき、どこにでも持っていけることが本来のあるべき姿なのであって、第三者が恣意的に剝奪できたり利用に制限を加えるのはおかしい、という考えが強い。

この流れを踏まえると、データ上のアバターはどのアプリであっても、どのVRにおいても仮想化実世界においてもユーザーが「所有」でき、さまざまなプラットフォームで相互に「運用」できることが当然のこととして、求められるようになっていくだろう。

とはいえ、あるサービスにおいて悪質な行為をした存在に対して、SNSやゲームなどを運営する私企業がアカウントを停止することは変わらずあるし、刑務所で通信機器の利用に制限があるように、政府が犯罪者のアバター利用に制限をかけることは当然あるだろう。

また、汎用アバターが当たり前になるほどに、操作ミスやクラッキングによって、アバターのデータが消えてしまったときの喪失感も非常に大きいものになる。今でもパソコンがクラッシュしたり、スマホを紛失してしまったときのショックは大きい。スマホがなくなるとGoogleマップが使えなくなって目的地までの移動に困るし、スケジュール管理もできず、また、普段、スマホでキャッシュレス決済している人は、突然現金決済に引き戻されることになり、非常に面倒に感じることであろう。アバター喪失は、こうしたもの以上の衝撃になる。僕はアメリカで生活していたときに自動車が故障し、「どうやって生きていこう」と呆然《ぼうぜん》としたことがある。国土の広いアメリカは車社会であり、買い物をはじめ生活や仕事に甚大な支障が生じる。

アバターも社会のさまざまな場所で稼働するようになればなるほどに、徹底したバックアップサービスが必要になる。

◎アバター差別の発生

すでにオンラインゲームや一部のSNSでは、無料で獲得できるデフォルトのアバターを使っている人は、課金してデザイン性の高いアバターを使っている人から下に見られる、といったことが生じている。アバター共生社会でも同様に、無料アバター利用者に対して、デザイン性の高い有料アバター利用者が、マウントを取ることが予想される。

また、これもオンラインゲームで対戦を行うときなどに生じている問題だが、通信速度の遅いプレイヤーは速いプレイヤーから嫌がられ、マシンスペックが足らずに遅延が生じているプレイヤーは見下されることがある。大量の通信量が発生し、高度なマシンの処理機能が必要になるメタバース空間では、アバターでも同様の差別が生じうる。

アバターは高速なネットワークにつながっていないと、ディープラーニング技術が使えないため、お金のかけ方が（人工）知能の差として、生身の人間以上にはっきりと出る。したがってアバターが経済格差解消に貢献するとは一概には言えない。

もちろん、現実世界にタブレットを置いて、アバターを表示して接客するくらいならば、現行のマシンスペックと普通の Wi-Fi 環境で十分問題なく稼働する。

ただそもそも、専門性や趣味性の高い領域において、自己顕示欲の強い者が攻撃的になることは、人間社会の常として避けがたい。悪質な発言は自動でミュート、ブロックできる技術も発達していくだろうが、そういう行動に及ぶ人間は得てして規制をかいくぐってでも悪口を言いたがる。だから横暴を完全に予防することは難しく、規制側とのいたちごっこになるだろう。

差別という観点から言えば、そもそも人間とアバターに差をつけて接し、アバターを差別する者も現れるだろう。僕は世界各国で学会に参加したり、講演を行ったりしているが、ヨーロッパでは「ロボットを奴隷にしたい」と公然と言われたことが一度や二度ではない。ユダヤ教やキリスト教の考えでは、人間を作れるのは神のみである。人間が作れるのは言葉を有せず、言われたことをやるゴーレムだけだ。そこには使役する／される側、主人／奴隷のような線引き、階級意識が強烈に存在する。そういう社会では、アバターは人間以下の存在として扱われる可能性がある。「アバターやロボットは人間よりも下の階級の存在だから破壊しようが罵詈雑言《ばりぞうごん》をぶつけようが、何をしてもいい」という扱いを受けるかもしれない。

日本人は自分のバイクやクルマに名前を付け、語りかけながら洗車し、かわいがることが珍しくない。機械に対しても愛着を抱き、壊れたら単純に「モノが壊れた」と思う以上に悲しむ感性がある。機械を意図的に破壊することにも、生き物を殺すのに近い抵抗を覚える人が多いように思う。ところがそうではない文化圏も存在する。たとえば僕はアメリカでオービス（速度違反自動取締装置）が銃で撃たれて壊されているのを何度も見た。また、30年ほど前には、フランス・リヨンの空港で自動販売機が何十台も並んでいたのに、稼働しているのが1台だけだったのを見たこともある。これらは「機械を（生き物のように）大事にしよう」という意識がないがゆえではないか。人間と人間以外のあいだに上下関係を規定する文化圏では、生身のリアルな人間ベースのアバターを用い、音声も極力リアルな人間に近づけたほうが、破壊や暴言からアバターとその操作者を守ることができるかもしれない。それでも、映画『ブレードランナー』を見てもわかるように、人間とレプリカント（機械人間）が見かけ上は差がないにもかかわらず、社会的な扱いでは明確な差を設け、後者をただの道具として扱うというようなことは、起きうるだろう。

これは差別とは関係ない話だが、日本と欧米では、アバターの顔の作り方、見せ方も違ってくる。欧米はシンボル伝達的な自己主張が多く、口元を使った表現が多い。本当に楽しくなくても声をあげて笑うことが社交の上で重要だ。一方で日本のコミュニケーションでは、目が重要視される。口を隠していても目が出ていればよいとも言われる。欧米ではサングラスは当たり前に着けるが、マスクは嫌がられることが多い。一方で、日本ではサングラスをしていると「目元の表情が見えないと、本当は何を考えているのかわからない」と警戒されることもあるが、マスクを着けることには抵抗感がない。このように文化圏によって望ましい表情、顔の見せ方は異なる。国をまたいでアバター同士でコミュニケーションする際には、こうした齟齬《そご》が生まれうることをあらかじめ教育・アナウンスし、いらぬ衝突が生まれないようにする必要もあるだろう。

◎アバターの身体への過度な接触、ハラスメント

今、「人間至上主義者からのアバターへの破壊、差別を警戒しなければならない」と言ったことにも通ずるが、アバターは生身の人間よりも、良くも悪くも距離感が近い存在になりやすい。

たとえば僕らが開発してきた女性型アンドロイドに対して、機械だからということもあろうが、最初から「心理的な距離感がゼロ」の状態で接する人間が幾人も現れた。普通は初対面の人間に対していきなり触ったり軽口を叩《たた》いたりしない。しかしアンドロイドに対しては平気でそのようなことをする人間が出てくる。

これは、初対面の人でも心理的な壁を作らず接してくれるという意味では、ポジティブに作用する面もある。だがアバターが完全自律ではなく人間が遠隔操作する場合には、ネガティブに働くケースも少なくない。

したがって、女性型のアバターに対する性被害を予防する機能や施策を考えておく必要がある。メタバース空間ならば、設定次第でアバター同士が一定距離以上近づけなくすること

が可能だが（たとえばMetaもメタバース内のセクハラ防止機能を作っていた）、店頭に置いたディスプレイに表示したアバターに対して、物理的に接触させないとか卑猥《ひわい》な言葉を言わせないようにすることはなかなかに難しい。実際、僕らが作ったアンドロイドの展示会でも、アンドロイドに対するストーカーが現れたことがある。操作者からの通報やアバターからの警報機能、暴言や性被害が発生したと判断したら、そこから録画して証拠を残す機能などが予防策、対処としては考えられる。

物理空間に存在するアンドロイドの場合、操作者が身体拡張されたような感覚を抱き、そのアンドロイドに触れられると自分が触られたように感じることもある。たとえば友人にジェミノイドを遠隔操作してもらったときに、僕がそのジェミノイドの頬や身体を突っついたところ、友人は自分の身体を触られたような感じがして叫んだことがある。CGアバターでもアンドロイドほどではないが、多少は同じような感覚が生じる。メタバース空間であっても、自分が制御しているものが誰かに触られるのを見るだけで、バーチャルに触覚を感じてしまう。振動など触覚のフィードバックがなくても、視覚情報だけでも生じるのである。

これらを考えるとセクハラ防止機能、および、触られてしまった場合や言葉の暴力を受けた場合の、感覚シャットダウン機能などの実装が求められる。また、生身の身体以外に対する性暴力も法的責任が問えるような法改正も、視野に入れていく必要があるだろう。

こういう性被害のリスクも、性的に見られることの少ない中性型のアバターが社会に進出し、特に女性が使えるようにすることに意味があると、僕が考える理由のひとつだ。

◎なぜ人間はアバターの身体を、自分の身体のように感じるのか

今、アバターへのハラスメントについて述べたが、実際に使ってみたことがない人の中には「自分の身体でもあるまいし」と大げさに感じた人もいるかもしれない。しかし、一定の条件を満たすと、人間はアバターの身体を、あたかも自分の身体のように感じるという傾向があることが、実験によって確認されている。倫理問題自体からは脱線になるが、議論の前提となる重要なファクトや理屈だから、これについても記しておこう。

そもそも人間は、自分の身体をなぜ「自分の身体だ」と感じるのか。

脳と身体は、双方向につながっている。人間はそれらから膨大な情報を入手するとともに、複雑な身体を意図通りに操作している――と「信じている」。脳は感覚器から得られる情報のすべてを解釈しているわけではない。また、直接すべての筋肉に指令を出しているわけでもない。感覚器からの情報や筋肉への指令の多くは脊髄などで処理され、脳からは大まかな指

令と、その結果どのように感覚器が動いたかだけが知らされる。たとえば歩いているときには、足が地面に接地し、太ももの皮膚は互いにこすれ合う。非常に多くの感覚器が並行して働いている。また同時に、足の多数の筋肉が統率されながら動いている。では歩行時にどの筋肉がどのように動いているかを説明できるだろうか。ほとんどの人はできない。それでも足は自然に動き、歩いている。そして問題が起こらない限り「足は動いている」と脳は信じている。

人間は「自分の身体」のことを、それが思い通りに、都合よく動いてくれるから「自分の身体」だと思っているのである。

遠隔操作型アンドロイドのようなアバターは、人間の「信じる」性質を利用したシステムである。筋肉一本一本を自在に動かせる、というほどの精度のものではないのに「思い通りに動かせている」と感じるように、アバターがどのように動いているかを操作者が説明できなくても動かすことができるし、問題なく動いている限りは疑問や不満を抱かない。「(自分の)身体を動かしている」という感覚が生じる。

より詳しく言えば、こういう仕組みだ。人間が生身の身体を使うケースで説明しよう。たとえばまず、脳が「右腕を動かせ」と指令を出したとしよう。この運動指令が出たあとの反応は、ふたつのパス(経路)に分かれている。ひとつは「遠心性コピー」、いわば予測である。

運動指令が出たあとには腕を動かすわけだが、「すると腕はここらへんにこう動くだろうな」という予測を頭の中で立てる。これが「遠心性コピー」である。もうひとつのパスは「視覚」と「自己身体受容感覚」である。自己身体受容感覚とは、目をつぶっていても自分の腕が動いていることが感じられるというものである。腕に沿って触覚も含めさまざまな感覚器があるが、そういった感覚器を通じて腕が動いていることが知覚できる。これが自己身体受容感覚である。

遠心性コピーの「予測」と、視覚と自己身体受容感覚で感じた「結果」が合致することがわかれば、「自分の思い通りに腕（自分の身体）を動かせている、だからこれは自分の身体だ」という自己身体の認識に至る。

では生身の身体以外を操作しているときにはどうだろうか。たとえば自動車や自転車が壁にぶつかったとき、身体にダメージがなくても「痛っ！」と言ってしまうのは、よくある話である。また、サルは使っている道具を「自分の身体の一部」だと感じていることを示唆した認知科学の実験もある。いずれも遠心性コピーの「予測」と、視覚と自己身体受容感覚で感じた「結果」が合致していることによって、乗り物や道具を自分の身体の延長として捉えていると言える。

操作者がアバターを自分の身体だと感じるという「身体感覚転移」（ボディ・オーナーシッ

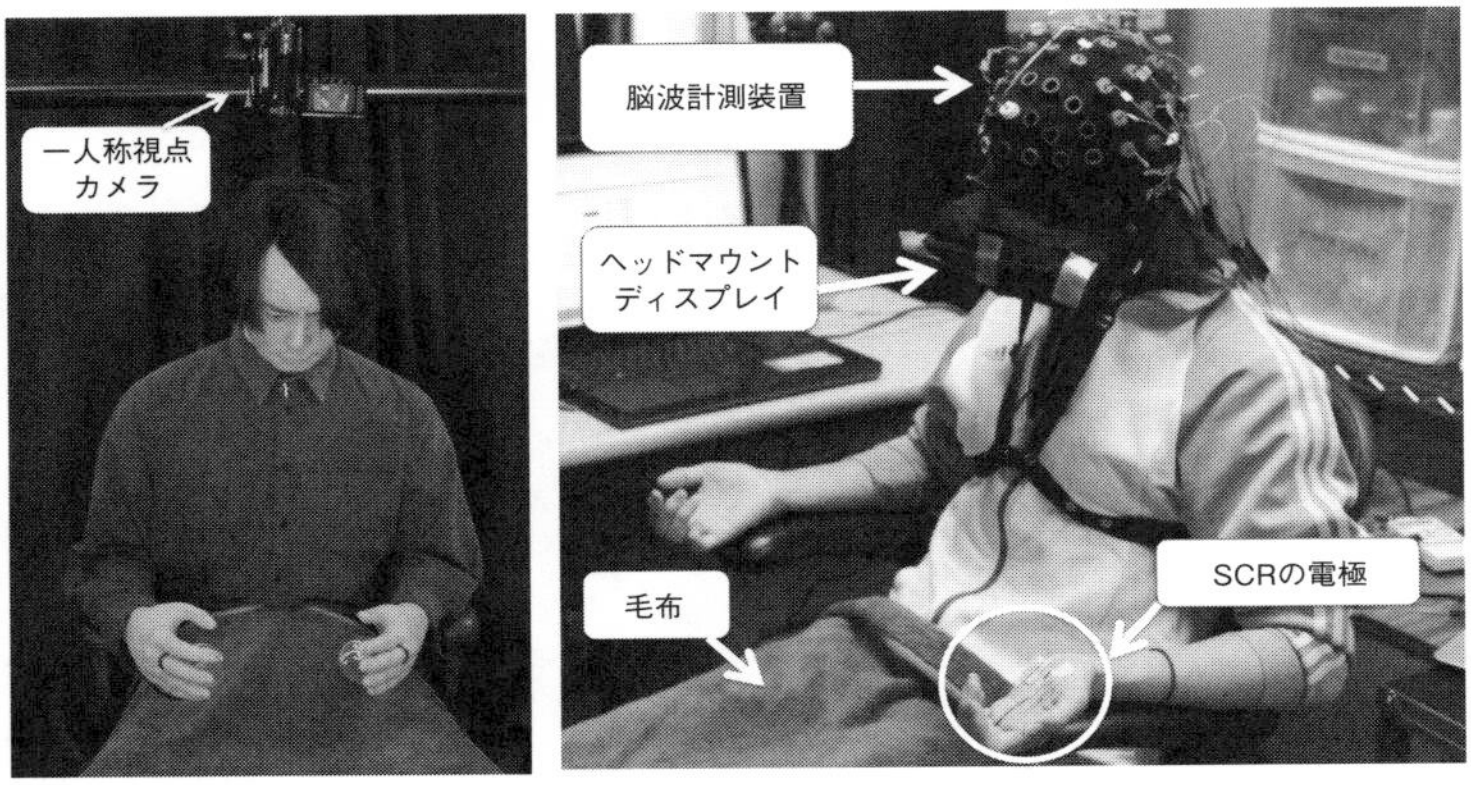

㉓ジェミノイドHI-2における身体感覚移転の実験風景
ⓒ国際電気通信基礎技術研究所（ATR）

プ・トランスファー）が生じるのは、基本的には同様の理屈からである。

僕は、ジェミノイドの遠隔操作において、操作者の脳がジェミノイドの身体を自分の身体のように感じているのかどうかを詳しく調べるための実験を、大阪大学の西尾修一特任教授（当時ＡＴＲ研究員）らと行った。

興味深いのは、ジェミノイドの操作者は、自己身体受容感覚がなくても視覚だけ、つまり見るだけでジェミノイドを「自分の身体だ」と認識できている、という点である。どうやってそれを確認したのか。被験者をまったく身体を動かすことができず、頭の中で考えることしかできない状態に固定した状態で、ＢＭＩ（ブレイン・マシン・インターフェース）を用いて、脳波で遠隔操作型ロボットを使ってもらう実験を行ったのである。身体が少しでも動くと、自分で思い通りに身体を動かしているという「自己身体受容感覚」が生まれてしまうため、それを封じた。操作する人はヘッドマウントディスプレイ（ＨＭＤ）を装着し、アンドロイドから見た映像を見る。その状態で「右」と考えると右手が動き、「左」と考えると左手が動く、といったように、脳の信号でアンドロイドを操れるようにした。

さらに、実験の最中にアンドロイドの腕に急に注射をしてみた。アンドロイドの身体が自分の身体だと思っていれば、人間はびっくりして手を引っ込めようとするはずだ。アンドロイドの手を引っ込めようと脳と身体が反射すると同時に、本人の肉体はその焦りから汗をかいたりするはずである。結果はどうなったか。被験者は手のひらに汗をかき、まさに自分の手に注射されたように感じたという結果が得られたのだ。「遠隔操作型ロボットを使うと、自己身体受容感覚がない人でも、視覚だけでアンドロイドに起きたことを、自分の身体に起きたことのように感じる」と科学的に言えたわけである。

ＢＭＩを使った実験を行う前には、30分のトレーニングを行ってもらうようにしている。被験者全員がうまくいくわけではないが、半分くらいの被験者は、練習すればＢＭＩを使って左右の手の動きをイメージできるようになり、「右」とイメージするとアンドロイドの右手を動かすことができるようになる。これもまた興味深いことに、被験者が「右手、動け」などと念じてトレーニングしている際に、こちらで勝手にアンドロイドの手を動かすと、脳波が右手を動かしたときのパターンに収束するのである。そしてそれが、脳から身体へ指令を出しているだけでなく、身体の動きから脳はフィードバックを受けているのだ。このように脳と身体は双方向につながっている。そしてこの仕組みがあるからこそ、脳は生身の身体以外にも適応していけるのである。

アバターの動きが操作者の意図に沿っていれば「自分の身体のように動かせる」という感覚が得られる。第一章で言及したテレサは、「ロボットが何かを触ったら自分も触ったような感じがする」というアバターだが、このようなアバターはもちろん、ジェミノイドのように、コンピュータが勝手に一部の動きを生成するという「操作者の振る舞いを完全に再現する」ことを指向していないものであっても、だ。本当はアバターが自律的に動いている部分があるのに、操作者側は「自分の意図通りに遠隔操作をしている」と感じる。アバター利用によって「自分の身体」「自分の行動」は拡張されるのである――だからアバターに対する性被害等に関しては、「アバターも操作者の身体」であることを前提に議論していくほうが、望ましいように思う。

ただし現在の技術レベルでのＢＭＩを使った実験（そのなかでも、頭蓋骨を開いて脳に電極を刺すようなものではなく、頭蓋骨の外側から脳波を認識するもの）では、人間らしい身体を持たないロボット、たとえば棒のような腕の機械では、操作者が「自分の身体だ」と認識して動かすことが難しいことがわかっている。どういったアバターをどういう条件で使った場合に「自分の身体」と感じたと言えるのかについては、科学的には議論の余地がまだまだあるし、法的にはおそらく議論の端緒につき始めたくらいの段階だろう。だがアバターに対する性被害や物理的・心的暴力が認知科学的に言っていかなるものなのかを解明することと、それらを社会的にどのようなものとして位置づけて扱うかの議論の醸成は、被害が多発する前から進めておくべき重要な課題である。

◎アバターによる精神への攻撃

現状のSNSは、モダリティが非常に制限された単純なメディアである。文字情報や画像、動画しかない。いわゆる「炎上」に加担して書き込みをしている人間の割合は非常に少なく、一部の人間が攻撃的な書き込みを大量にしているにすぎないという研究がある。ただ「割合」がいくら少なくとも「母数」が多ければ実数としては膨大なものになる。

対面での議論では通常、「量」の面から見ても「質」の面から見ても、ネット炎上のようにはならない。たとえば「あいつ、嫌い」とか「死んでほしい」という書き込みがあったとしよう。どのくらい本気なのかは、現実空間であればニュアンスまで伝わる。冗談で言っているならそうだとわかる。だが文字だけを見ると、言われた側はきつく受け取ってしまう。また、現実では対人で声高に執拗《しつよう》に罵倒している人がいた場合、仮に罵倒された側に何か問題があったとしても、攻撃している側もその態度をどうかと思われて、周囲の人間から冷ややかな対応を取られることが多い。だがネットではその話題に関心のある人以外の目に入らないがために、周囲からの暗黙の抑止は働かない。暴れている人間は放置されるだけだ。それに、実際に叫ぶのと違って、100文字くらいのテキストを投稿する程度なら、書き込む側の負担も少ない。結果、何十回、何百回と似たような内容のことを書き込む人間が放置されてしまう。

アバターはテキストだけ、画像だけと比べて豊かなモダリティを使えるから、現状のSNSよりもニュアンスを込めたコミュニケーションができる。ここはプラスに働く面があるだろう。

ただしマイナス面もある。自律機能、自動応答機能を使って何度でも繰り返し同じ言葉を発することが簡単にできるのが、アバターの特徴である。これを集団でのいじめなどに使われると、された側はかなりきついものがある。

アバターはさまざまな活動を容易にすることで、人々のポジティブな感情も増幅する。一方で、人間から嫉妬がなくなるわけではない。攻撃的な感情や悲しみをなくすことができるわけでもない。テクノロジーによって感情の波がより大きくなる可能性がある。ものすごく喜ぶ場合と、ものすごく落ち込む場合の落差が激しくなる。そうなれば、メンタルのケアがますます重要になるだろう。また、そうした攻撃的な使い方を抑制する仕組みも、考えていかなければならない。

◎「ロボットはウソをつかない」という先入観の悪用

社会のあちこちにロボットやアバターが当たり前に存在するようになれば、人々は規範的な態度をロボットたちから示され、社会のルールを学ぶようになっていく。あいさつをする、親切にする、御礼を言う、思い通りにいかなくても怒らない、突然感情をぶつけられても冷静に対処する、気分や体調に左右されずに一定のクオリティの動作を実行する……こういうことはＡＩのほうが向いている。「モラルある振る舞い」に関して、人間はロボットやアバター以下である。

僕らはアンドロイドを使って商業施設などで何度も実証実験を行っているが、アンドロイドが「かっこいいですね」「似合ってますよ」と褒めると、言われた側は「ロボットはウソをつかない」という先入観があるのか、人間の販売員から褒められたときと比べて、猜疑心《さいぎしん》を抱きにくい傾向が見られる。「買わせようと思ってウソをついている」などとは思わないのである。ロボットは「丁寧な人間」、揺らぎがなく、余計なことを言わない存在だと思われているのだ。

これは自律型であっても遠隔操作型であっても結果はそれほど違わない。見かけがロボットであれば、人間が入ってもロボットと近い結果になる。「人工物は悪いことをしない」と思っているからだ。ただし生々しい見かけであれば、生々しい欲求を持つだろうという先入観が働くため、悪いことをしてくるかもしれないと直感的に思って、ロボットの場合ほどは素朴に信用されにくくなる可能性がある。

こうしたロボットへの信頼感の高さは、悪用されるリスクがある。だから、ときどきおつりを間違えたり、コカ・コーラとペプシコーラを間違えたりするような自販機でも作って、「機械も信用できないときがある」と人間に学ばせるべきかもしれない。シャレにならない事件が起こる前に、アバターリテラシーを学ぶ機会を社会が用意したほうがいいだろう。

また、すでに僕らも含めて内々には実験を行っているが、アバターを使って悪い誘いが持ちかけられた場合に、人間が同様のことをした場合と比べて、悪人が持ちかける都合のいいウソを受け入れやすくなってしまうのか、はたまたそうではないのか、どのような反応がされる傾向があるのかについて——当然、本当に犯罪を起こすわけにはいかないので厳密な検証は難しいが——開発者や運用者は今から知見を積み重ね、悪用防止のためにできることを準備しておかなければならない。

◎アバターのポルノ利用

アバターを使った、ポルノや性風俗ビジネスも当然予想されうる。基本的には身体接触を伴わない場合、ほかのわいせつ表現と同様の規制で対応できるだろう。それ以上の規制は表現の自由があるため、慎重であるべきだ。

アバターで新規に問題になりうることとしては、アバター制作者がそういった用途を想定していなかったにもかかわらず、使われた場合だろう。僕は、エリカが装着している長髪のカツラを勝手に取られて頭部を剝き出しにされてムッとしたことがあるが（実はそういった実験をしたのであるが）、もっと激しいいたずらをされる可能性も当然ある。たとえばCGアバターのデザインをした人間が、アバターを使っていかがわしい行為や卑猥な発言に及ぶことを望んでいなかった場合に、利用者側がどこまで希望を通すことができるか、という話になる。

日本の法律では、制作時に著作権を譲渡ないし放棄していたとしても、著作者人格権は消えないし、譲渡も放棄できない（そうした条項を盛り込んでいても、一般的に契約は無効とされる）。著作者人格権とは、著作者が精神的に傷つけられないよう保護する権利であり、「無断で著作物を改変されて誤解を受けない」という同一性保持権、著作者の社会的評価を守る名誉声望保持権などが含まれる。アバター制作や譲渡時の契約に際してデザインに携わった人たちが、この点に関して同意を得ておくことが大前提になるだろう。操作者（使用者）側もあらかじめどんな用途まで契約で許容されているのか、それを超えた場合に損害賠償等が生じるのかを購入、利用時点で確認することが常識になっていくと思われる。

さて、ここまで見てきたように、アバターは実世界と関わることで、仮想世界で起こっていたもの以上に深い、本質的な倫理問題を取り扱わなければいけなくなる。

もちろん思考実験レベルでは気が付かず、普及過程になって初めて顕在化する問題も多いだろう。いずれにしてもシリアスな課題に対しては、社会的に適切なルールメイキングをしていく必要がある。ただしルールを先に作って運用するというより、まずはやってみて、そのあとで起こった問題に対して対処していくことになるはずだし、そのほうが変化の速度を上げるためには望ましい。

と同時に、これらの問題を考えることを通じて「人間とは何か」——人とはどんなもので、どこまでを「人間がした主体的な行為」と見なすのか、という哲学的な問いも浮かび上がってくる。

FUTURE SOCIETY IN HARMONY WITH AVATARS

第六章 さらなる未来

大阪・関西万博とアバター

FUTURE SOCIETY IN HARMONY WITH AVATARS

◎２０２５年の大阪・関西万博のテーマ「いのちを拡げる」

２０２５年には、いのち輝く未来社会のデザインをテーマに大阪・関西万博が開かれる予定だ。

僕は８つあるサブテーマ事業のうちのひとつ「いのちを拡《ひろ》げる」の担当プロデューサーである。

ムーンショットは２０５０年の近未来に実現させるテクノロジーについての取り組みだが、万博はさらにその先の未来を全世界に示せる絶好の機会である。

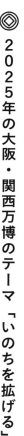

１９７０年に開催された日本万国博覧会（大阪万博）の意義は、敗戦から復興を成し遂げ、さらなる経済発展を目指した日本が、未来に実現すべきものや技術を提示したことにあった。そこではさらに高度に発展した技術社会が、基本的には描かれていた。生物として自然の摂理に従って生きてきた人類が、安全、安心、快適に生きるための科学技術に憧れを抱いていた時代が20世紀だった。

それから50年経ってどうなったか。人工臓器や遺伝子操作、人間らしいロボットなどの

「人間が人間を設計する科学技術」が現れ、インターネットの普及以降には、新たな人間社会が表出してきた。これからの時代においては、人間が自ら人間や社会を設計していく。科学技術が人間の定義をますます変化させ、拡張していく。そうしたテクノロジーや、技術が社会実装されていく過程においては、人それぞれが持つ多様な価値観に基づいた対話がなされ、多様な幸福感を追求しながら発展していくことになる。

もちろん、かつてのようにわかりやすい経済成長の夢が、国家的に共有されるような時代ではない。新しい人間、新しい社会のあり方をそれぞれが模索していくには、正解を誰かに教えてもらうのではなく、自ら構想し、選び取る必要がある。あるいは他者と議論を交わし、時には衝突や交渉をすることも避けては通れない。いずれにしろ、自分たちの責任で未来を作っていかなければならないのである。その自分たちで作る未来社会の多様なイメージを示すことが、僕が考える万博の意義である。

◎パビリオンが打ち出す３つの要素

僕がパビリオンで打ち出したいと考えている重要な要素は、以下の３つである。

①人間の定義を発展・拡張する
②多様な人間の未来と多様ないのちのあり方について議論する
③「いのち」について忘れがたい感動を展示を通して体験する

まず「①人間の定義を発展・拡張する」だが、人間と動物の違いは、テクノロジーによって進化することにある。動物は自然淘汰の仕組みによって長い時間をかけて進化し、環境に適応した者が生き残っていく。一方、石器からＡＩに至るまで無数の人工物を作り、能力を拡張することで、今日の繁栄を築いたのが人間である。人間はテクノロジーと融合することによって、ほかの動物とは異なる生き物になれたと言える。

そして人間は、人工物を作り、技術と一体化することによって「人間とは何か」という人間の定義やありようも拡張してきた。今では生身の人間以上の性能を持つ義手や義足を身に付けた人も、心臓や肺、肝臓などを人工臓器に置き換えた人も、社会のなかに当たり前に受け入れられている。義手や義足のような機械の身体を用いる人も、機械の身体によって、その人の人間性を損なわれることはない。だがおそらく３００年前の人々に「機械の心臓を持つ人間は人間だと思うか」と尋ねたら、ほとんどの人は「それは人間ではない」と答えただろう。

つまり科学技術によって「人間の定義」が更新され、「新しい人間」が作られるのだ。21世紀には遺伝子編集技術によって、特定の疾患の発症を抑えることも徐々に進んでいくだろうが、遺伝子を改変された人類もやはり「人間」として扱われるだろう。アバターやロボットを自在に使い、機械の身体を操るようになった人類も同様である。

人間はテクノロジーにアシストされることで、かつてSFで描かれたロボットやサイボーグのようになっていくし、これまで述べてきたように、ロボットやアバターもまた人間らしくなっていく。この流れは今後も止まらない。

かつては「人間にしかない」と長いあいだ信じられてきた「意識」ですら、いつかそれをロボットも持つ日が来るだろう。見た人に意識があるように感じさせるロボット、あるいは機械であるにもかかわらず「いのち」があるように感じさせるロボットは、すでに登場してきている。たとえば僕らと東京大学の池上高志教授とで共同で取り組んだAlter（オルタ）も、その挙動の複雑さから、何か深遠な思慮を感じさせるものになっていた。

本書で論じてきたアバターもまた、「人間の定義を変化させ、拡張する」技術である。僕のプロデュースするパビリオンでは、来場者に対して展示を案内するのも、解説をするのも、展示の中で演じるのも人間ではなくアバターである。アバターを使ったほうが人間にツアーをコンダクトしてもらうよりも、周囲の電子機器と簡単に連動させられるメリットがある。

これはいずれ、さまざまなアミューズメント施設で、当たり前に採り入れられる技術になるだろう。

たとえばIbukiを登場させようと思っている。②とも関わるが、アバター／ロボットが当たり前になった未来の社会を示したいのである。

そして新型コロナウイルスなどの感染症が収束していない状況でも開催ができ、どんな人でも参加できるような、新しい時代の万博を提示したい。お金と時間があり、心身が健康で会場に足を運べる人はリアルで参加できるし、そうでない人もアバターを使って参加をしたり、バーチャル会場を体験できるという、万人に開かれた万博体験を提供したいのである。

次に「②多様な人間の未来と多様ないのちのあり方について議論する」についてだが、僕のパビリオンは「いのちを拡げる」がテーマだ。「人それぞれが持つ、生まれながらの多様性」を認めようという意識が高まってきたのが、20世紀後半から2020年代にかけての動きだった。今後はそれに加えてアバター技術をはじめとするテクノロジーによってさらに、個々人が望み、個々人に適した多様な身体のありようや、多様な働き方や生き方を認めるという社会の気運が高まっていくだろう。

今言ってきたようなことをわかりやすく表現するのが、万博での「いのちを拡げる」パビリオンの役割である。

パビリオンで打ち出したい最後の要素は「③『いのち』について忘れがたい感動を展示を通して体験する」である。僕らの研究室では、これまでも劇作家の平田オリザ氏などと共に演劇等を通じて、ロボットやアンドロイドと人間が関わる社会の姿を表現してきた。パビリオンではロボットやアバターが当たり前になった未来の社会を描いていくが、単に明るい薔薇《ばら》色の未来予想図のようなものに留めることなく、アートとして人々の心を揺さぶるものにもしたいと思っている。

僕はまだアンドロイドのアバターを使うことによって、人間の手によるものを超える芸術を作りたいと思っている。今度の万博では、アンドロイドのメカのデザインや衣装のデザインに加え、日本舞踊や能などが培ってきた、心を表現するアンドロイドの身振り手振り、視線のノンバーバルな表現を活かしつつ、人間ではできないような音楽とのシンクロやダイナミックな動きで、観る人を魅了したい。アートによって人の進化を表したいのである。

僕たちロボット研究者は、身体表現芸術から多くを学んできた。「どんな動きをすればどんな風に見えるのか」に関して、芸事やショーなど身体芸術の世界では、連綿とその技術が継承されてきた。だがそのレベルでの表現技法は、工学や認知科学、心理学の文献ではなかななか論文にされてこなかったし、あったとしてもロボットにプログラミングできるレベルの、細かい情報が書かれることはなかった。

僕らははじめ、単純に「人間の動きをモーションキャプチャしてコピーすればいい」と思っていた。だがロボットを作っている人間たちの、手や顔の動きを再現したところで、ほかの人間が見たときに「理想的だ」と感じるような、情報伝達にふさわしい美しい動きにはならなかったのである。美しい動きができる人間といえば役者やモデル、ダンサーなどがすぐに思い浮かぶだろう。そういう職業の人間は、身体の使い方の訓練を積んでいるからそれができる。だがそうではない人間が日常的に行っている動作を、そのままロボットにさせても、その人間の特徴的な動き、個性が再現されるだけなのだ。そしてそういうものは個人のクセにすぎず、「きれいな動きだ」「説得力のあるプレゼンだ」とは思えなかったのである。

だから僕らは、たとえば平田オリザ氏の演出から多くを学んだ。オリザ氏と僕らは、オリザ氏が脚本と演出を手がけた世界初のロボット演劇『働く私』（２００８年）以来、何度もロボットやアンドロイドを使った演劇を制作してきた。オリザ氏は即興や役者のアドリブを許さず、人間の役者相手であっても「そのセリフ、あと０・２秒遅く始めて」「この場面では、もう20センチ右まで来て」と細かく指示をする演出家である。だからロボットやアンドロイドの動作も的確にプログラミングでき、ロボットやアンドロイドが「役者」として生き、苦悩し、深くものを考えているかのように見せることができた。機械がプログラムに従った動きをしているにすぎないにもかかわらず、観客は「まるで生きているようだった」「心があると感じた」と口々に漏らす。研究室で長年ロボットを動かしてきた人間たちにとって、これは衝撃的なことだった。ロボット研究の世界ではまったく蓄積されてこなかったノウハウを、平田オリザ氏と関わることによって、演劇のプロではない僕らも多少なりとも獲得できた。

最初のロボット演劇の際には、三菱重工業社製のワカマルを使ったが、そのプログラムの開発にあたって、制作に携わった株式会社イーガー（IT開発）の黒木一成氏の紹介で、文楽人形遣いの桐竹《きりたけ》勘十郎氏にもご協力いただいた。ワカマルは人間と比べると関節の数や、各関節の動く範囲が限定されている。その制約のなかで、いかに人間らしい動作を再現するか。同様の問題を伝統芸能の分野で解いているのが、文楽だった。文楽の人形はやはり関節の数が限られているにもかかわらず、その動きは非常になまめかしく、人間らしい。腕を伸ばすという動作ひとつとっても、人間らしい腕の伸ばし方がある。桐竹勘十郎さんに実際に文楽人形を動かしてもらいながら、僕らはそうしたノウハウをいくつも教えてもらったのである。

そしてムーンショットの関係者を通して、「所作学」とでも言うべき身体表現の体系を目指す人間と出会うことができた。日本舞踊など日本文化をベースにアメリカでアート表現について学んだ株式会社K.iQ（ききゅう）の菊地あかねさんだ。所作に造詣の深いアートディレクターの手を借りることで、ようやくアンドロイドは、美しく表現力豊かなノンバーバルコミュニケーションの技法を手に入れたのである。

そして人間が行う身体表現芸術の技法を学んだアバターが、大阪・関西万博では人間を超えた表現に挑戦する。人類はこれまで言語を中心に知の世界を構築してきたが、今後は非言語の知、非言語の芸術の比重を増すことで、より進歩していくように僕は思う。テキスト中心の世界から、それに身体性をはじめとする多様なモダニティが加わった世界になっていく。アバターを使った未来社会の展示を通して、そうした未来の姿も示したいのである。

私が準備しているパビリオンでは、具体的にはまず50年後の未来に病院や学校、職場、暮らし、各種施設がどう変わっているかを具体的に見せることで、来場者に体感してもらう。

そしてさらに１０００年後の、科学技術によって飛躍的に進化した人間の姿の展示も構想中だ。１９７０年の大阪万博の会場に岡本太郎が制作した太陽の塔の内部には、原生動物から人類に至るまでの進化の過程を描いた生命の樹が描かれているが、太陽の塔の「その先」を僕のパビリオンでは表現したいのだ。

万博のサイト、YouTube チャンネルにはプロモーションビデオが公開されているので、是非ご覧いただきたい。

機械から人間に近づいていくいのち、人間から機械に近づいていくいのちがあり、その先に科学技術で進化する人間がいることを描いたパビリオンに、物理・仮想の両方から人々が参加する――これが大阪・関西万博で実現しようとしているものだ。

◎アバター共生社会で変わる政治

ここからはムーンショットや万博で何をやろうとしているのかということから離れ（といっても僕が考えていることだから重なるところは当然出てくるが）、アバター共生社会になると、中長期的に社会がどう変化していくのかを考えていきたい。ムーンショット（第二、三章）や仮想化実世界（第五章）で描いたのはあくまで近未来の予想だが、それよりもさらに先の未来をイメージしてみたい。

当然ながら、アバターが社会に普及していくのと並行して、ほかのテクノロジーも発達し、社会の価値観も変化していく。だからアバターの話に限らず、広く未来社会の姿を思い描いてみよう。

まず、この本でここまで扱ってこなかったが、社会において重要な役割を果たしているもの代表といえば、政治だろう。政治はどう変わるか。

たとえばアバターを使った選挙活動はどうなるだろうか。現行法ではアバター利用を想定していないため、実際にどんなことが公職選挙法に抵触するのかは定かではないし、僕は法律の専門家ではない。ただ、1990年にオウム真理教が真理党という政党を作って衆議院議員選挙に25名の候補者を出馬させた際に、信徒が教祖の麻原彰晃のお面をかぶって選挙運動したことが議論になったことがあり、今の日本では、アバターを使った選挙活動は厳しいと思われる。

とはいえ当選後の政治家がアバターを活用するのは有効だろう。講演をしたりさまざまな会議に出席するのはリモートで十分なことも多い。

もちろん、政敵や敵対する外国の勢力に勝手にアバターを作られて問題発言、問題行動を起こされるといった危険性も十分に考えられる。データから対象物の特徴を学習することで実在しないデータを生成できるGAN（Generative Adversarial Network：敵対的生成ネットワーク）という技術を用いて著名人の偽動画が作られ、著名な政治家のフェイク画像が出回っている。今後はリアルタイムで対話ができる偽アバターの台頭への対策が課題になる。

また、支持者や有権者の参加意識を高めるためにもアバター技術は有用だ。

たとえば僕が生身で講演する際、横にロボットを置いて高校生と大学生を対象に行った実験がある。聴講者はスマホから自分がしたい質問を専用フォームを通じて送る。ほかの聴講者もその質問をいつでも見ることができ、質問に対して「いいね！」を押せる。そして「いいね！」が多い順に僕の発言の合間を見て、ロボットが僕に質問を発話する。こうすると聴講者全員が議論に参加したような気分になるのである。

また、この実験のあとで、同じ学生たちに、このシステムを用いずに生身の僕だけで一般的な授業をしたところ、普段よりも質問の数が約4倍にもなり、一度、リモートで質問をすることによって発言へのためらいが減ったことがわかった。

むろんこれだけでは少数派の意見が取り上げられないという問題があるため、工夫の余地はまだある。だが多数派の意見を集約し、代表的な意見を伝達するシステムであれば、今の技術でもすぐに作れる。

日本では人々の投票率の低さなど、政治参加の低調ぶりがしばしば語られる。それは自分たちの考えが政治家に伝わらない、まともに答えてもらえないという意識があるからだろう。政治意識を高めるためにアバター技術を使って「参加できた」という感覚を抱いてもらうことには、意味があるはずだ。もちろん政治家からしても、どんな属性の聴講者たちがどんな意見・要望を持っているのかを定量的に把握できることは、政策を立案していくにあたって意味がある。

アメリカやヨーロッパなどでは、政治家が有権者から厳しい質問や意見を投げかけられるのは日常茶飯事であり、それに誠実かつ当意即妙に回答することは、政治家にとって必須のスキルになっている。一方、日本ではそんなことをされると怒ったりしどろもどろになったり、曖昧な返答しかできなかったり、失言してしまったりする政治家もいる。だから技術的に可能であったとしても、日本の政治家が演説や議論の場に、今言ったような聴講者の意見集約システムを取り入れるはずがない、と思うかもしれない。しかし、政治家をサポートするアバターやＡＩの使い方もできる。

たとえば、その是非はともかくとして、モラルコンピューティング機能を使って、アバター越しの対話に関しては発言を自動的にフィルタリングし、不適切な発言や態度は修正してしまうこともできる。人間には感情や欲望があり、訓練されていないと挑発や批判に対してカチンときたり、調子に乗って放言してしまったりと、求められた役割に対する適切な振る舞いから逸脱してしまう。一方でアバターやロボットはそんなことはしない。

また、政治家は政策立案者としてさまざまな分野に関する見識を持ち、意見を持っていることが期待される。だが現実的にはあらゆることに精通するのは困難だ。だからブレーンが付いていたり、国会では官僚が考えた答弁を述べたりしている。つまり政治家はそれぞれ「個人」の名前で出てはいるが、実際には複数人の能力や知見の「集合体」なのである。だから何の準備もなくたったひとりで論戦に挑まなければならない状態になると、どうしてもボロが出やすくなってしまう。しかしアバターを使えば、ひとつのアバターに複数人が入ることが可能になる。

たとえば僕らは過去に、アバターを使った研修医のトレーニングの実証実験を行ったことがある。これは医者が遠隔操作するロボットに向かって自閉スペクトラム症（ＡＳＤ）の子どもに話してもらう、というものだった。ＡＳＤの子どもは対話相手のほうを向いてしゃべることが難しく、たとえすぐ横に専門医がいたとしても、ロボットのほうを向いて話す。ＡＳＤであってもロボット相手ならば話せる人もいるのである。そのロボットに複数人の研修医が入り、対話しながら「次にどうすればいいのか」という発話のアイデアを研修担当のベテラン専門医に向けてテキストを送る。そしてベテラン専門医は研修医が出した複数の提案の中からベターなものを選んでロボットに発話させる。問診のＯＪＴ（オン・ザ・ジョブ・トレーニング）である。人間相手では対話が難しい相手でも話せることと、遠隔操作なら複数人で入れるというロボットのふたつのメリットを活かしたものだった。

同様の手法で、遠隔操作でＡＳＤの子どもの普段の生活をよく知る看護師と医学的・臨床的な知識を持つ医師とが、チャットで情報を交換しながら1体のアバターを使って子どもと対話する、という実験も行った。こうすると複数人の能力が統合されたアバターになる。

看護師と医師が同じ空間にふたりでいれば済む話ではないか、と思うかもしれない。だが今言った研修もそうだが、アバターを使えばそのアバターの中に複数人いてもいい。病院の診察室にずらずらと何人も医師や看護師がいて、研修や問診をしては患者に圧迫感を与えかねない。しかし生身の人間はひとりでその横にアバターが1台、ただしアバターには複数人が入っている、といったものならさほどの圧迫感を感じさせないだろう。

アバター1台に複数人の能力を統合して付加価値の高いアバターを作ることもできるのだ。たとえば中国からのインバウンド観光客向けに、中国人ガイドと日本人の現地ガイドに自動翻訳機能付きアバターにいっしょに入ってもらう、といった使い方が考えられる。

政治家も実態としてはブレーンや官僚込みで活動しているのだから、アバターに複数人入って答弁できるように法改正し、議会にはアバターで出席できるようにするということも考えられる。もちろん、発言の最終的な責任はすべて政治家個人が引き受けることを前提にしてだが。

仮に政治家本人以外との複数人アバター利用を社会的・法的に認めないとしても、議会へのアバター参加はすぐにでも可能にするべきだろう。2019年の参議院選挙で舩後靖彦《ふなごやすひこ》さんが日本で初めてALS（筋萎縮性側索硬化症。進行すると全身麻痺《まひ》となり人工呼吸器の装着が必要となる）患者の国会議員となったが、そのためにベッドを国会に入れることが必要になった。それよりもまずアバターやZoomでも参加していいと認めるべきだったのではないだろうか。

◎アバター共生が当たり前になった未来における恋愛

政治以外にも、人々の関心が高いことに関して、アバター共生社会が実現した未来にはどうなっているのかを考えていこう。次は恋愛だ。

生身の身体から解放されると、恋愛のかたちは変わる。もちろん、今あるようなものがなくなるわけではなく、より多様になるのである。

「生物学的に子孫を残すべき」という社会規範はすでに薄れてきている。他人に対して「早く結婚したら?」だとか「いつ子ども作るの?」といった質問を投げかけるのはハラスメントと見なされる。今ではアイドルや二次元の存在に入れ込んで、恋愛や結婚をしなくてもそれほど奇異に見られることはない。「そういう人もいる」と当たり前のこととして受け取られている。「恋愛をしてその相手と結婚して同居をし、子どもを作らなければいけない」ということは、近現代の一定の期間においてのみ共有された社会常識にすぎない。そこから解放されれば、人間と人間の関係はもっと多様で豊かなものになりうる。

たとえば、アバターを使った者同士での恋愛も増えていくだろう。自分の理想を投影したアバターを使って、やはり魅力的なアバターを使った存在とメタバース上で出会い、恋愛をするのだ。こうすれば、お互いに自分のイヤな部分、見せたくない部分を捨象して付き合うことができる。

こう言うと「そんなものは演技であって本当の自分ではない」などと憤慨する人が必ずいる。しかし、好きになった相手に対して、自分を良く見せようと背伸びをしたり努力をしたり、着飾って見せたり欲望を自制したりするのは当たり前の行動である。また、若者が身近な先輩やメディアに登場する芸能人に憧れて、その格好や言動の真似をするなど、他人から影響を受けて、姿かたちを変えることも日常的に起こっている。他人から情報を取り込まなければ、人間は成長しない。つまり、自分の理想を投影したアバターを作って使うことは、これまでも人類が行ってきたことの延長にすぎないのだ。

「お互いの生身の姿を知らない/見せないままに好きになっても、それは幻想ではないか」と言う人もいる。だが昔から恋する相手には、「あばたもえくぼ」と言う。相手のすべてを知っているから好きになるわけではなく、恋に夢中になっていれば不都合なことも気にならなくなってしまう。それが恋愛だろう。歴史を顧みても、今のように気軽に写真や動画を撮って送ることができなかった時代には、文通がきっかけで相手に恋をし、結婚した夫婦もそれなりにいた。人間は文字を通じてだけでも想いを交わすことができる。だからアバター同士のコミュニケーションで当事者たちが「理解し合えた」と思うことを否定する理由はない。MMORPG（大規模多人数同時参加型オンラインRPG）のようなネットゲームや、ネットの掲示板やSNSにおいて、本名も素性もよく知らない相手と出会って触れ合ううちに惹かれ合い、恋愛・結婚した人たちも、すでに無数にいる。

「そんなものは認めない。恋愛相手や結婚相手とは隠し事ひとつなく、全人格をすべて受け入れ合わなければならない」などという考えを持つことは自由だが、恋愛や結婚経験がある人間なら「そんなことはほとんど不可能だ」と思っているはずだ。生身の人間同士の恋愛や結婚生活においても「好きだからこそ言えないこと、見せられないことがある」のは普通のことである。

ゆえに、アバター同士の恋愛も普通になるだろう。むしろ、「相手に見せていない部分がある」ことがはじめからあからさまな分、誠実な付き合い方だとすら言えるかもしれない。

ではセックスはどうするのだ、というのが次に出てくる疑問だろう。だが、日本性教育協会の調査によれば、日本の若年層の性交経験率は2010年代以降、急速に減少し、性に対するイメージは悪化している。また、年長世代に目を向けても、日本家族計画協会の調査によれば、成人夫婦の2組に1組がセックスレスだという。もはや恋愛や婚姻関係にセックスが必須のものという前提は、崩壊しているのかもしれない。アバター同士のパートナーシップにおいて、セックスはなくてもかまわない。そもそも求めていない人が増えているのだから。

とはいえアバター同士であっても、需要があればVRを使ったセックスも可能になるだろう。「自分の身体にコンプレックスがあるから裸を見せたくない」という人間は少なくない。生身の交際相手とはセックスせず、アバターでのみセックスすることもあるかもしれない。

また、恋愛相手の変化という意味では、人間が中に入った遠隔操作型アバターとの恋愛だけでなく、自律型のＡＩに恋することもできるようになる。恋人が欲しいと思った人が、理想の恋愛や結婚相手を自らデザインするのだ。対話のできる自律型ＡＩに、自分の好きな外見を組み合わせたアバターを作り、日常的な会話の相手にするのである。性格設定は初めは何パターンかの類型から選ばざるをえないだろうが、対話を繰り返して利用者から「これは違う」「これは良い」という評価を繰り返し付けられていくうちにＡＩが好みを学習し、その人が望む人格に近づいていくのだ。近くに誰もいなくて寂しいのはイヤだが、対人コミュニケーションに付きものの煩わしさもイヤだと思う人には、これがいいかもしれない。

かつてはテレビや映画に出演するスターに恋い焦がれるのは若者がすることであり、いつかは自然と卒業して実際の恋愛に向かうものだと思われていた。だが今では中高年であっても、アイドルや俳優の「推し」がいてもおかしくない時代になった。恋愛の高揚感や長年連れ添った相手に対する情愛とはまた別の、メディア上の存在に対するファン感情に名前が付けられ、社会的に許容されるようになった。同様に、今はまだ存在しないアバターに対する感情や関係性が生まれ、新たに名前が付けられ、当たり前のものになっていく可能性はある。

◎家族のかたちも変わっていく未来

恋愛が変わるなら、当然、家族の姿も変わる。

これから先、遺伝子編集技術が発展していけば、自分の子どもをある程度好きなようにデザインすることが可能になる。生物学的な子孫を残したい場合には、母胎を使わない試験管ベビー（体外人工授精）で受精して母体の外で育てることや、単性生殖でもクローンを作って遺伝子を残せるような未来が来るかもしれない。

女性の人生において妊娠・出産の負担は大きい。遠くない未来に、これを軽減するような、体外受精と母体外で胎児を育てるようなシステムが、一般的になるような時代が来るかもしれない。そのときは、真の意味で男女平等な社会が実現できているのかもしれない。母胎で育てるよりも安全に母子共に世に送り出せる生殖医療の技術が、今後さらに発達していく可能性がある。

こうした考えに、忌避感を抱く人もいる。日本では「おなかを痛めて産むからこそ愛《いと》おしく感じる」といった思想から、フランスなどでは一般的な無痛分娩《ぶんべん》すら否定する人が少なくない。「ミルクではなく母乳で育てるべき」という母乳神話も根強い。「それが〝自然〟だから」などと言う。だが、日本では1930年代には出産時に乳児が10人にひとりは亡くなっていたとも言われる。乳児死亡率や妊産婦死亡率が急激に低下したのは、妊産婦向けの医療体制が充実した第二次大戦後のことにすぎない。〝自然〟を好むのであれば、現代医学を用いずに母子にとって出産が文字通り命がけだった時代のやり方に立ち返れるのかと問えば、ほとんど誰もそんなことをしようとはしない。人間が〝自然〟だと思っていることの多くは、人工的・恣意的な、ある時代に作られた自然観にすぎない。

医療とは、人体をコントロールするための技術である。純粋な自然や野生を好むならば、医療機関は使えなくなる。あらゆる薬が使えないし、バースコントロールや健康管理、体重管理のためのアプリを使うこともできなくなる。医療は、いかに病気やケガの苦痛を取り除き、和らげ、また予防するかに腐心してきた。医学を発展させ、医療機器を開発することで、遺伝子の進化よりもはるかに速く、人間の身体を地球環境および人工的な環境に適応させ、生存率を上げ、長寿化を果たしてきたのである。

したがって妊娠・出産・育児を通じて生物学的・文化的な遺伝子を次世代に継承していく行為が、テクノロジーの力でより簡単で安全、かつ苦痛のないものになっていくのは、医学の歴史を考えれば必然である。妊娠・出産は女性の身体にとって最大級の負担である。現状では無痛分娩であっても真の意味でまったく無痛とはいかない。また、妊娠・出産・育児においてはそれ以前の時期からホルモンバランスの変化を強いられ、精神的にもアップダウンが生じる。これは解消されるべき課題ではあっても、妊産婦が必ず強いられなければいけないものではない（むろん、それでも痛くて大変なほうを選びたい人は致し方ないのであるが）。

「おなかを痛めて産むからこそ愛情を感じる」と思う人は、そこで言う愛情とは何かということを改めて考えてもらいたい。出産における愛情とは脳内で分泌された化学物質の作用であるとも考えられる。たとえば出産時には母親に大量のオキシトシンが分泌され、それによって子どものことをとても愛おしく感じることがわかっている。であればおなかを痛めて産んだのではなくても、新生児と抱っこする母親にオキシトシンを投じることもできる。そんなバカなと思う人もいるかもしれないが、しかし、妊婦が破水しても子宮口がなかなか開かないときには陣痛促進剤としてオキシトシンを点滴で投与する。これは産婦人科では当たり前に行われていることにすぎない。つまり、産む前に投じるか産まれたあとに投じるかの違いでしかないのである。そもそも母子の愛着は出産によってのみ生まれるものではない。その後の日々の触れ合いのなかで深まっていくものだ。出産という出来事を過度に特権化すべきではないと思う。

女性が妊娠・出産・育児に縛られずに活動できる社会の実現は、男女平等の実現のために必要だ。妊娠・出産・育児の負担の大きさが子を持つことをためらわせているのであれば、少子化対策としても大切になるだろう。(少子化が進行してもアバターやロボットを使って社会の生産性を上げれば、ある一定期間は社会を維持できると考えられるが、男女平等の問題は根本的に解決されなければならない)。

育児も、アバターやロボットを活用することで、子どもに「人と触れ合っている」という感覚を持ってもらい、子どもが自己肯定感を育めるようにしていく必要がある。テレビやYouTubeの長時間視聴が、子どもの言語習得などに悪影響を及ぼす理由は何か。受動的なメディアであること、画面がめまぐるしく動くことで関心は惹くが集中して何かを考え、覚えることを阻害することにあると言われている。一方、アバターやロボットは、対話相手にとって双方向的なメディアであり、テレビや動画に触れさせるよりも、子どもの情操の発達や教育に望ましい効果が得られるだろう。

アバター共生社会になれば家族形態が変わり、保育・教育の仕組みも変わっていくし、高齢者の介護の方法も変わっていく。

人類が家族単位の生活を始めたのは、食べものが少なくなる冬を越すためだった。かつて大家族であったのは、みんなで仕事を分担して貯《たくわ》えを作るためだ。両親共働きどころか、働ける者は家族総出が当たり前だった。ただし「自分の子どもだけを育てる」という現在のようなスタイルではなく、狩猟や採集に行かない人たちが「自分の家の子どもも親戚の子どもも近所の子どももまとめて面倒を見る」という集団保育を行っていた。

近代に入っても、農家では拡大家族・両親共働きは当たり前だった。農作業に出られないお年寄りや少し大きくなった子どもなどが、小さな子の面倒を見ていたのである。

日本では核家族が登場したのは１９１０年代頃からだと言われている。それも初めは東京など一部の大都市に限られていた。それが戦後になり、国の基幹産業が第一次産業から第二次産業、第三次産業へとシフトしていったことで、家族形態が大家族であることのメリットが失われ、核家族が当たり前になっていく。「父親が稼ぎ、母親は専業主婦で子を育てる」という家族形態は、この時期の産業構造をベースとする社会にフィットして広まったものにすぎない。

「徹底的に、家族単位で生活することを大切にするべきだ」と言うならば、たとえば子育てを公共サービスに頼るのはおかしい、ということになってしまう。僕の幼いころには保育園や幼稚園に行かずに、母親や祖父母が小学校入学まで面倒を見ている子どもがたくさんいたが、その時代に戻ることも考え得るのだ。

一方で20世紀後半以降、デンマークやオランダなど北欧では両親共働きを前提とし、子どもやお年寄りは社会で面倒を見るようになっている。婚姻関係にない相手でも同棲《どうせい》していればは法的にパートナーとして認められるし、嫡出子と非嫡出子（婚外子）の扱いには極力差を付けない。「家族が子どもや老いた親の面倒を見る」時代からもう一度「社会で面倒を見る」にシフトしている。

テレノイドの実証実験・導入に積極的なデンマークは、北欧のスカンジナビアにあり、世界で最も福祉が進んだ国である。デンマークは世界に先だって多数の介護センターを設置し、介護士のトレーニング施設を各地方自治体が経営・運営しており、新しい技術を積極的に採り入れている。福祉先進国とは、言い換えればいわゆる自助・共助が機能しなくても、公助で人々を支える国である。税金が高い代わりに、家族同士が支え合わなくても国が何とかしてくれる。こういう場所でロボット／アバターはよく機能するし、求められてもいる。人間の代わり、特に身近な人間の代わりを果たす役割が期待されているからだ。デンマーク自体はロボット産業は盛んではないが、世界中の研究機関や企業から高齢者介護用の新しいロボットを集めて、ロボットを福祉の世界に役立てるためのサービスモデルの構築に取り組んでいる。

◎男女の恋愛観や結婚観も変化する

世界経済フォーラムが発表している、その国における男女差別の実態を数値化した「ジェンダーギャップ指数」に関して、日本は調査対象国156カ国の中で下から数えたほうが早く、先進国の中では断トツの最下位だ。一方で他の北欧諸国はトップ5以内にほぼランクインしている。2022年にはデンマークは31位だが、日本の116位とは比較にならない。

結果、北欧諸国は人口ひとりあたりGDPは国際的に見ても高く、また、国民の幸福度も高い。日本は人口ひとりあたりGDPも幸福度も北欧諸国に負けている。

つまり子や老いた親は家族だけが面倒を見るよりも、社会で面倒を見るほうが経済的に豊かに生きられるし、人々の幸福度は高まる。アバターはそういう社会で、家族の代わりに福祉を支えるインフラにもなる。

「恋愛」と「結婚」と「生殖」を三位一体のものと捉える近代社会の規範を、社会学者やフェミニストはロマンティッククラブ・イデオロギーと呼んで批判してきた。このイデオロギーに染まっている人間から見れば、北欧の今の姿はまさに「家族崩壊」と言えるだろう。しかし歴史を見れば明らかなように、社会経済システムの変化に適応するように、家族のかたちは変容してきた。たとえば平安時代の貴族たちは通い婚で男女は同居していなかったし、両親ではなく乳母などが子どもを育てるのが当たり前だった。核家族など、日本では台頭してきてからまだ100年程度の歴史しかない。核家族で育った人間が、自分たちが慣れ親しんできたものに執着することは避けられないとしても、それを当たり前のものとして絶対視するべきではない。

アバター共生社会では、家族のかたちは20世紀型から大きく変わっていく。

神経科学的に言っても「恋愛」と「結婚」と「生殖」をひとりの相手に求め、家族で閉じて担うことには無理がある。恋愛しているときにはアドレナリンやドーパミン、セロトニンが放出され、性欲にはテストステロンが関わり、パートナーや子どもやペットと触れ合っているときにはオキシトシンが分泌されることがわかっている。つまり恋愛とセックスと結婚生活（家族生活）はそれぞれ別の脳内物質が駆動している。このことは時としてひとりの相手、ひとつの家族に3つの要素を長期にわたって求めることを困難にする。たとえば子どもができると、父親はオキシトシン濃度が高くなる代わりにテストステロンが減退する傾向がある。すると夫婦の営みの回数は減る。しかし女性は子どもが産まれたあとも排卵日の近辺にはテストステロンが活発になるため、男性がセックスに消極的だと不満を抱きやすくなる。

そうであるならば、特定の人物には特定の役割を求めるに留め、アバターやロボットで別の欲求を満たせるようにしたほうが、理に適《かな》っている。こう言うとギョッとする人もいるかもしれない。だがすでに社会にはスナックやホストクラブのような水商売や、さまざまな性風俗産業が存在しているし、恋人とは別にセックスフレンドを持つ人もいる。

また、乳幼児を預けられる施設や老人ホームなどは、家族の機能を社会に委ねている場所である。恋愛、性的接触、愛着を誘発するスキンシップ、そしてひとりで生きられない人間のケアなどは、今の社会において、すでにひとりのパートナーやひとつの家族で完結するものではなく、一部は社会に委ねられている。アバターやロボットは、今の社会に存在しているものを、よりカジュアルに、より利便性の高いものにしていくのである。

いや、今あるものの延長としての変化に留まらず、もっとラディカルな社会変化も起きるかもしれない。たとえばいずれはアバターで、複数の人格を切り替えて複数の相手と恋愛をしたり、複数の性的なパートナーを持ったりする人も出てくるだろう。「恋人とは結婚するのが当然だし、結婚相手とは子どもを作って当たり前、子どもを作ったら社会に出るまで家庭で面倒を見なければいけない」「家族は時間と空間を共有するべき存在である」という社会規範が薄れれば、もっと多様な愛や性や家族のかたちがありうるのである。

「自分の恋人がアバターを使って別の相手と恋愛していたら嫉妬するに決まっている。そんな未来はありえない」と思うだろうか。しかし今ある制度でも、たとえば自分の恋人が異性と話しただけで嫉妬して束縛しようとする人間はいる。古代から今に至るまで、人間の嫉妬はずっと存在していた。そして嫉妬は社会の変化を止めることができなかったのである。

これは僕の個人的な意見だが、自己実現ができておらず、他者に依存している人間ほど嫉妬をするように思う。自己実現できている人は嫉妬に引きずられることはない。したがって、嫉妬の存在や今ある価値観との摩擦を恐れて変化の速度を緩めるよりも、誰もが自律・自立して自己実現できる世の中を作ることに目を向けたほうがいい。

あるいは、生身の身体を持った子どもを作ることには、大きな責任と負担が伴うから、パートナーとふたりで子どものアンドロイドを作って成長を楽しむ、という人々も現れてくるだろう。その場合には、社会がアンドロイドに人権を認めるかどうかという話にもなりうる。僕は人間の子どもと同様に、愛情を持って可愛がられる子どものアンドロイドに対して、周囲の人間は人権を与えたいと思うのではないかと考える。人間とは社会的動物であり、社会においてどのように受け入れられるか、社会がどのように人間を定義するかが「人間とは何か」を決めていくからだ。

また、子育てや高齢者の介護のような、日本では「家族が担うべき」という社会通念があるケアに関しても、自律型や遠隔操作のロボットやアバターが担うようになっていくだろう。「エッセンシャルワーク」と呼ばれる仕事は、社会にとって必要で大切であるからこそ、生身の人間にとって負荷の多い労働環境を、ロボットやアバターを使って改善し、より働きやすく楽しい職場に整えることは、社会が実現させるべき理想のひとつである。

直近ではまず、アバターを使った労働によって、乳幼児から物理的に離れられない母親が少しでも手の空いたときに仕事ができるようになること、アバターが乳幼児が危険なことをしないか見守り、あやしてくれる相手になることで、育児の負担を少しでも軽減するといったことが重要になる。労働でもケアでも、生身の人間が四六時中、物理的に張り付いていなければいけない状態が解消されることが、喫緊の課題である。

エッセンシャルワークや家族のケアは精神的・肉体的な負荷が大きく、多忙をきわめる。そのストレスから同僚やケア相手、家族に暴言や暴力を振るうケースが後を絶たない。アバターやロボットがケアに関わるようになれば、そうした暴言・暴力は自律型ならそもそも行わないし、遠隔操作であってもモラルコンピューティング機能で、自動的にフィルタリングできる。

「しかし、子育てや老いた親の面倒を見なくなったら家族は崩壊する。離婚する夫婦が増えてしまうのではないか」と思う人もいるかもしれない。その意見に対する反論は先ほども少し述べたが、人類が子育てや親の介護から解放されたことで、仮に夫婦の紐帯《ちゅうたい》が弱まり離婚率が上がったとしても、それは人間がより自由に生きられるようになったと見るべきだ。離婚率は高いが人々の幸福度や経済効率が高い社会と、離婚率は低いが幸福度や経済効率が低い社会を比べて「後者のほうがすばらしい」とするのは、僕にはどこか倒錯しているように思える。「今、生きている人々の幸福のために社会制度や規範がある」のではなく「特定の社会制度や規範のために人々があり、制度や規範を維持するためには、人々の幸福は犠牲にしてもかまわない」という考えに見える。

倫理問題を考えた前章でも言ったように、未来の話をするときは、未来の価値観で考えなければいけない。

◎孤独の解消に役立つアバター

2022年6月に内閣府から発表された「少子化社会対策白書」によれば、日本では50歳までに結婚しない「生涯未婚率（50歳時未婚率）」が2020年に男性では28・3％、女性は

17・8%に達した。「家族の未来」と言っても、そもそも家族を作ることができずに孤独に生きて死んでいく人が増えていくのではないか、という予想をする人もいるだろう。自らの意思で選んでひとりで生きている人に対しては他人が口出しすべきではないが、家族を作りたくても作れない人がいる場合は問題だ。

日本に限らず、アフリカを除く世界のほとんどの地域で少子化が進行していくことは、人口動態からほぼ確実だと予測されており、22世紀には生身の人類は減少フェーズに入ると見込まれている。

そのなかでパートナーを見つけるのが難しい場合には、AIアバターで恋人や家族のような存在を作ることも、ひとつの選択肢となる。

ではそれをも選ばず、家族を作らずにひとりで生きていくとしたら？　社会的な課題となるのは、孤独の解消である。前述した通り、孤独は寿命を縮める。孤独感をなくすことにアバターは貢献できるだろうか。これについてはすでに示唆深い事例がある。

まず、大阪大学、サイバーエージェント（IT開発）、東急不動産ホールディングス株式会社（ホテル経営）の三者で実証実験に取り組んだホテルのロボットの話をしよう。単身の宿泊者にとっては、ホテルの従業員が親切に案内してくれるのはありがたく思う一方で、時に煩わしいという声も少なくない。早くひとりになってリラックスしたいのに、従業員がいるとそうはいかない。そこで代わりに、利用者が宿泊する部屋にロボットを置いてみた。実際に試してみると、ロボットの場合は部屋にいてもプライバシーを侵害されている感じがしない、という感想が何人かから得られた（もちろん、実際に侵害しない）。むしろ、さみしさを紛らわせてくれる、と。

この実験のときにはロボットらしい見かけのロボットを用いたが、ロボットが人間そっくりのアンドロイドであれば「監視されている」と感じる可能性もある。しかし、ロボットらしいロボットが、ロボットのような声で話をする場合、プライバシーを侵されていると思うことなく、利用者は対話サービスを受けられる。ホテル側から見れば、ロボットを通じて宿泊者に近隣のレストランや観光地の案内ができたのである。

なお、この対話サービスロボットは部屋だけでなく廊下にも設置し、廊下を歩く人がいればあいさつするようにしていた。すると、宿泊客とホテルの従業員を区別できないロボットは、ホテルスタッフにもあいさつをしていた。これが従業員に非常に評判が良かったのである。普段ホテルで働く人たちは、裏方に徹し、求められたとき以外はなるべく気配を消すようにして働いている。だから宿泊客から声をかけられることはほとんどない。だがロボットは、どんどん声をかけていた。これが嬉しかったという。宿泊客の目にとまらないよう部屋の掃除をしているスタッフは、普段は誰からも声をかけられない。だからロボットの声かけが励みになったというのである。

また、僕らは「ひとりでも触れ合える」アバターもいくつも研究開発している。こちらの技術も孤独の解消に役立つだろう。たとえばATRとヴイストンが共同開発した赤ちゃん型ロボット「かまって『ひろちゃん』」である。ひろちゃんはハグビー同様に頭部はあるが目、鼻、耳、口といった顔のパーツはない、のっぺらぼう型のぬいぐるみロボットだ。あやしてもらったときの「動き」と「声」で感情を表現することを意図した。顔をつけたロボットも制作して高齢者の反応を比べてみたが、まったく差がなく、むしろ顔のないロボットのほうを好む人もいたため、顔がないほうを用いている。

㉔「かまって『ひろちゃん』」
Ⓒヴイストン株式会社

このひろちゃんとの触れ合いが、認知症高齢者（要介護者）とその介護者に及ぼす効果を検証する長期的な実験を、兵庫県の介護施設で行っている。高齢者施設でも従来、外部からさまざまな人に読み聞かせや支援に来てもらっていたが、新型コロナウイルスの流行によって、各種アクティビティや対話サービスがしづらくなり、結果として要介護者の認知症が進行し、問題行動が頻発するようになってしまっている。人間はしゃべる機会がないとストレスが溜《た》まり、しゃべることによって使っていた脳機能や筋肉が衰えていってしまう。孤独は、健康を蝕《むしば》んでしまうのである。

ひろちゃんは、本物の赤ちゃんの声で泣いたり、笑ったりする自律型ロボットだ。使用者がひろちゃんを赤ちゃんのように〝あやす〟ことで癒やしの効果が得られる。ひろちゃんにはジャイロ（加速度センサー）と実際の赤ちゃんの声を録音した１００種類以上の音声が搭載されており、抱っこしたり「高い高い」をしてあげると楽しげな声を発し、ずっとかまってあげないとぐずり始める。ひろちゃんを手渡すと、認知症の方は20〜30分程度、一生懸命かわいがってくれることが多い。その間は問題行動が抑制され、介護士がほかの仕事をできたり、会話ができるようになったりするといったメリットがある。高齢者施設で用いられるロボットとしてはほかにテレノイドがあるが、ひろちゃんはアバターであるテレノイドと違って対話相手が必要なく、認知症が進行して対話が困難な方にも使ってもらえる点が異なる。

ほかにも触れ合えるアバターとして、たとえば人間よりも大きい「抱擁型アバター」を私が所属するＡＴＲの塩見昌裕室長が開発している。兎《うさぎ》型で大人サイズのぬいぐるみ型アバターである。モーターが内蔵されているが、これに抱きついていると、その大きな手で抱きしめてくれて、人間からの抱擁に近い感覚がして落ち着く。ぎゅっとされているときに「がんばれ」と言われると安心してその言葉を受け入れやすくなる。

さらには「自己接触（抱擁）型アバター」も同じ塩見室長によって開発された。これは使用者の膝にセンサーを付け、セルフタッチで自分を応援するというシステムだ。ストレスを感じる状況にあるときに、男性は特に思わず自分の手足を触る傾向にある。そういうときにこれに触ると「がんばってね」と録音された声が発せられる。これは「触られている感覚があれば全身抱擁でなくてもいいのではないか」という仮説に基づき開発された。被験者に擬似面接というストレスフルなタスクを体験してもらった状態で用いた結果、男性には非常に効き、女性には効かなかった。全身抱擁ほどではないものの、男性だけは膝が安心できるような何かが触れていて声をかけられると、ストレスが軽減されるのである。

これらの事例から、未来における孤独解消用アバターの可能性がさまざまに考えられる。たとえば日常的に使う通信端末やＰＣにアバターが常駐したり、家や職場に個人用の抱擁アバターや自律型ロボットを置いたりするのは、当たり前の光景となるだろう。人々はそれらのアバターとあいさつや日常会話をする。また、商業施設や公共機関などの各種施設に設置されたロボットが道行く人に声をかけ、ねぎらってくれる。アバターは表情認識機能を使って利用者（対話相手）の顔色が悪ければ心配の声を投げかけて、休養や医療機関の受診をすすめたり、表情が明るいときにはさらに前向きになるような言葉を送ってくれる。このような自律型ロボットやアバターが、さまざまな場所に実装されれば、たとえひとりで生きていても、無言の時間が長く続くのではなく、家庭や職場、街のあちこちで人間らしいあいさつや日常会話が交わされ、自分の存在価値を感じられ、抱擁されることで安らぎを得てエンパワーされる社会になるだろう。

◎アバター共生社会では、死生観や宗教はどう変わるのか？

恋愛や家族と並んで多くの人が気にするのは、生老病死に関わる悩みだろう。人生観や死生観が関わることと言ってもいい。

アバター共生社会になると、死生観はどう変わるだろうか。

実は僕は、もともと生に対する執着が薄い。自分が死んだあとにどう評価されるのかといったことにも、あまり関心がない。毎日を精一杯生きられればいいし、いつ死んでもいいと思って生きてきた。自分が死んだあとに子孫に何か遺《のこ》したいとか、「歴史に名を残したい」という気持ちがほとんどない。したがってそういうことにこだわりがある人がどんなことを考えるのか、やや想像が及ばないところがある。

ただたとえば、自律型ロボットやアバターで自分の写し姿のデータを保存しておけば、「自分の存在を遺したい」という気持ちが満たされる人もいるだろうと思う。生前のその人の話し方などを学習したＡＩがあれば、ある意味では死後も生き続けることが可能になる。自分の似姿や考えを遺せると考えれば、自分の存在が消えてしまう死に対する不安が和らぐ人もいるだろう。

とはいえ遺された側からすれば、生前に付き合いのあった家族や親族ならその遺されたアバターを保存しておこうと思うだろうが、２世代、３世代と下ったときに、子孫が自分の曽祖父母などのアバターに特に価値を感じられずに破棄することは容易に考えられる。もちろんその逆に、自分のルーツを知りたい、ご先祖様の考えを知りたいと思う人もいるだろう。

また、アバターを使って理想の自分を生きられるならば、そもそも生身の人間としての生にそれほど執着しない人も出てくるかもしれない。

それから、人々の死生観に影響を与えているものといえば、なんといっても宗教である。教祖や聖人のアバターを使う宗教も現れるだろうし、逆にアバターを用いた偶像崇拝的なやり方を、これまで以上に厳しく禁じる宗教も出てくるだろう。そもそも「アバター」とは、仏教において「化身」を表す言葉である。

アバターは仮想化実世界で稼働する、半現実で半仮想の存在である。人間の汚く、醜い部分を嫌う人は多い。偶像にはそうした人間のおぞましい部分、見たくない部分がない。アバターもまた、人間の汚い部分が捨て去られた存在である。だからアバターは人間が憧れる偶像として機能しやすい。人は精神的な意味でも、そして肉体的な意味でも、人間離れした美しいものに憧れる。宗教はそうした人間の超越的なものに惹かれる気持ちと親和性が高い。だからアバターは「聖なるもの」として利用されやすい面も持つ。

僕も、僕の研究室に在籍していた小川浩平（現・名古屋大学大学院工学研究科准教授）とともに、オルタをベースにしたアンドロイド観音「マインダー」（口絵⑪）のプロジェクトに取り組んだことがある。この企画をともに進めた京都の高台寺の和尚から聞いた話では、仏《ぶっ》陀《だ》亡きあと、初期の仏教徒は仏様の姿を壁に描いていたという。それが浮き彫り細工であるレリーフに発展し、そして木や金属で造られる仏像になっていった。だから仏像が最終形態であると考える必然性はなく、それが動いたり、話したりしてもいいという考えで、和尚は宗派の代表をはじめ、関係者を説得していった。

ただこれはキリスト教などと違って、仏教に登場し、仏像としてかたどられてきた如来、菩薩《ぼさつ》、明王は、もともとゴータマ・シッダルタ（仏陀、釈迦牟尼《しゃかむに》）以外、基本的に実在の人物ではないから実現した面がある。たとえばどこか特定の宗教団体がキリストのアンドロイドを作ったら、非常に大きな反発を招くだろう。一方で、新興宗教の2代目、3代目が創始者のアバターを作って稼働させることは十分ありうる。

くわえて、メタバース上に「聖地」ができたり、教典に書かれた奇跡や説話を再現する、VRやARコンテンツが充実していくかもしれない。脳の側頭頭頂接合部を刺激すると体外離脱体験が引き起こせることが2002年に科学誌『Nature』で報告されて以来、複数の実験で再現されている。脳に電極を刺して刺激したり、fMRI（機能的磁気共鳴画像法）やVRゴーグルをある条件下で使って錯覚を引き起こすと、体外離脱体験や解離状態が発生するのである。宗教団体がメタバース内に信者を集め、集団でこうしたテクノロジーを用いて神秘体験を共有することで、信者同士が結束を強め、教祖への帰依を深いものにする、といった利用法は十分にありえる。もちろん、テクノロジーが発達するとそういうギミック、しかけが簡単に暴露されてしまう面もある。「騙《だま》されるな」という情報も簡単に出回る。したがってどちらに転ぶかはわからない。

いずれにせよ、自分を「遺す」ことや、死後の世界を擬似体験すること、メタバースにおける神秘体験が、アバター技術の発達によって可能になる。そういったことが人々の死生観を変えていくだろう。

◎超遠未来には人類は生身の身体を完全に捨てる

ＡＶＩＴＡについて解説した第四章で、チャット機能を持つアバターに始まり、物理的な身体を持つロボットが社会に当たり前に存在するようになっていく、というロードマップを示した。

この章ではそれよりも先の時代のことまで見据えてみた。

そこからさらにはるか遠い未来には、人類はどうなっているだろうか。

僕は人類はいつか生身の身体を完全に捨て去る日が来ると思っている。ボディだけではない。人間の脳を機械で再現することもできれば、脳を完全にコンピュータで置き換えることもできるし、人工知能に意識を持たせることもいつの日にか可能になる。「シンギュラリティ（技術的特異点）」という言葉を一躍広めたレイ・カーツワイルのように「２０４５年までに革命的なブレイクスルーが起きる」とはあまり思っていないが、将来いつかはそうなると信じている。

この宇宙には、もともと無機物しかなかった。その無機物の中から奇跡的に有機物である生命が誕生し、以来、進化を続けて今の生態系を築いた。だが有機物でできた肉体は、長いスパンで捉えれば、おそらく一時的な「借り物」にすぎない。最後まで人類が生身の身体であるはずがない――知的生物は無機物へと回帰し、無機生命体になるのだ。

この話をすると技術的に可能か不可能かという議論以前に「生身の身体が重要なのであって、機械になったらそれはもはや人間ではなくてロボットである」という反発が必ず来る。だが、その理屈で言えば義手や義足、補聴器を使っている障がい者には完全な人権を与えられないのか？　というとんでもない議論になってしまう。

「機械には存在しない自由意志があるから人間なのだ。機械は人間になりえない」と言う人間もいる。しかし人類に自由意志があることなど、誰も証明できていない。かつて哲学者のカントは「ある」という理屈も「ない」という理屈も成立することを論理的に示したが、本質的にはそこから何か決定的なブレイクスルーが起こったわけではない。脳生理学者のベンジャミン・リベットによる有名な実験では、脳の中の無意識的な準備電位(Readiness Potential)と、主観的な運動意志との関係が調べられた。被験者が自由意志で腕を動かそうとしたときの脳の電位を計測したところ、動かそうと主観的に思った瞬間に０・５秒先行して、その腕を動かすための準備電位が立ち上がっていた。なお、反射的に手を引っ込めるなどした場合にはこの準備電位は発生しない。つまり意思決定する前に、身体が動いていたのである。われわれが「意識」だと思い、「脳が命令して、身体が動く」という手順だと思っているものは錯覚にすぎないとリベットは示した。「こうしよう」と意識するよりも以前に人間は動いており、「こう考えたから、こう行動した」という理解、「自由意志」なるものは、脳が後付けでもたらしたものにすぎないと解釈できる。神経科学の議論において「人間の意図・意識の所在は脳にあり、脳が生み出した自由意志に基づいて人間は行動している」という考えは必ずしも支持されていない。自然科学ではなく社会科学においても、「本人が自分の意思で決めた」と思っていることが社会的な環境要因の影響を受けている、などという研究はいくらでもある。もっと卑近な日常のレベルにおいても、営業してきた人間の口車に乗せられてつい買ってしまったもののしばらくして後悔する、といった話はよくある。他人の心理操作をするテクニックは無数にあり、騙されやすい人に対して「自分が意思決定した」という気分にさせることは、訓練を積んだ人間には容易である。脳の特定の部位に少し刺激を与えるとか、ホルモンを注射するとか、向精神薬を飲むといったことで、人間の気分や感情は簡単に揺らぎ、変化してしまう。自由意志を人間の人間たるゆえんと見なす考えは、僕にはかなり危ういものに思える。もちろん、人間の脳のメカニズムは全容が解明されたなどとは到底、言えず、現在の技術では機械(人工知能)で再現することはできない。だが究極的には意思決定にしても情動にしても化学反応であり自然現象なのだから、人間の脳の働きをテクノロジーで再現できないとは言い切れない。「自由意志などないのだから、機械になった人類を否定する根拠にはならない」とも言えるし、「自由意志があるとしても、それすらもテクノロジーで再現できる（作ることができる）」とも言える。

いずれにせよ、遠い将来、人間は制約の多い生身の身体を捨て、ロボットすなわち機械の身体になることもできるようになる。この本の最初のほうで「人間は人間に強く反応するようにできている」と書いた。だがそれはあくまで現生人類が長い進化の過程で獲得した特性にすぎない。機械の脳になってしまえば、それを引き継ぐ必要はなくなる。人間には認知バイアスと呼ばれる、非合理的な判断を下す「判断の偏り」がいくつもある。たとえば「たくさんの人が選んだものを、なんとなく正しいように感じてしまう」といったものだ。こうした人類の脳の特性を補正した機械の脳になれば、人間と接するアバターは必ずしもヒト型でなくてもよくなる。もちろん機械で作った脳は、それはそれで設計に応じた認知特性を背負うことにはなるが、それでも、そうなればロボット（＝未来の人類）の見かけの自由度は上がる。そのとき機械身体のカンブリア爆発が起こる。求める用途に応じてあらゆる可能性を探究した、多様な身体を持つ人類が登場するのである。

見かけの自由度が上がり、生身の物理的な制約がなくなり、生身の人体の寿命をベースに物事を考える必要がなくなるとどうなるか。たとえば何光年もかかる移動を前提とする宇宙空間への進出すら可能になる——もちろん、それには動力源や通信設備などの問題を解決する必要もあるものの。苛酷《かこく》な環境であってもそれに適した身体をデザインできるようになり、生身の人間以上の計算能力や認識能力（たとえば人間の目では見えない赤外線や紫外線を捉える視覚など）を持った状態で、さまざまな活動が可能になる。

今の人間の寿命は短すぎる。宇宙は広い。この宇宙を探究するためには、人類は10万年でも100万年でも生きられるように姿を変えていくべきなのだ。

そしてそういう未来が現実のものになったときに、人類が金儲けのような世俗的なことに必死になっているとは、僕には到底思えない。もちろん、宇宙空間や海底、火山などの極限環境へ探究に赴いた者にとっては、「どうやって生きぬくか」といったことが切実な問いとして残り続けるだろうし、そういうことを追求するためにお金が必要になることも当然あるだろう。だがその場合においても大前提として、「この世界は、この宇宙はいったいどうなっているのか」というような好奇心から来る問いに、それぞれの人が向き合っているはずだ。僕のように「人間とは何か」「なぜ私はこの世に存在しているのか」といったことを探究する者も増えているだろう。

いかなる分野やいかなる仕事に携わっていても、あらゆることの基本問題となるのは「物事の起源」と「人間」しかない。物事の起源とは、原子分子の世界であったり、宇宙の始まりであったりする。物理学者はそのような基本問題に一生を捧《ささ》げるのだと思う。一方、そのほかの問題はすべて人間につながっている。経済、哲学、工学、医学……すべての興味は「人間とは何か？」に行き着く。

最先端の技術や科学においては、芸術も融合する。芸術もまた、アプローチが違うだけで「人間とは何か」という同じ問題に取り組んでいる。そして技術や科学の世界では、いかにして研究するのかを、直感を頼りに見つけなければならない部分がある。それはもうほとんど芸術の世界なのだ。

人類が機械の身体と頭脳を手に入れるようになると、ますます見かけや能力は自由に可変できるようになり、多様化する。そしてその多様な人々が、それぞれの興味関心に沿って探究し続ける社会になる。機械になった人々が科学者であり哲学者であり芸術家でもあるような社会が訪れる。そういう未来になることを、僕は期待しているのである。

生身の身体を持つ人間が活動する社会から、生身の身体の制約を離れて自由な見かけを作ることができ、人体以上に能力を拡張したアバターと共生する社会への移行――それは、こうした変化に向けての大きな一歩となる。

あとがき

本書を読んで、アバター共生社会は近い将来やってくると思われただろうか。そう思われた読者が多いことを願っている。

本書は、以前にも本を共に執筆したり、本の取材や構成をお願いしてきた飯田一史さんに、取材や構成をお願いして書き上げたものである。僕が単独で執筆すると、そのときの興味あることや、自分の視点のみから話をしてしまい、時にわかりにくい説明も多くなる。それがいいと思っていただける読者も多いかもしれないが、一方で、僕をよく知る方に構成などをお願いすると、僕の活動を読者がよりよく理解できる視点でまとめていただけるという利点がある。それは複数の能力を統合して活動するアバターのようでもあるのだが。

本書においても、僕のこれまでのさまざまな活動を、アバターを軸にさまざまに関連させて、非常にわかりやすく、また僕が伝えたい思いをうまく表現した構成にしていただけたかと思う。読者も、僕が切望する未来のアバター社会に引き込まれたのではないか。

僕にとって「アバター共生社会を実現すること」は、今、最も重要な活動である。これまでに培ってきたあらゆる知見や技術を生かしながら、ムーンショットという大きなプロジェクトで研究開発に取り組む一方で、ＡＶＩＴＡというスタートアップでアバターの社会実装を進めている。僕自身がアバター共生社会の実現にどれほど関われるかは、まだわからないが、アバター共生社会は、未来に必ず出現すると思う。

人間は、知能や身体の限界を克服し、さらに能力を拡張していく。そして、今よりも空間や時間の制約から解放されていく。それが人間の進化であり、人間の未来であると思う。

謝辞

本書はこれまでの僕のロボットやアバター研究について述べたものである。本書で紹介した研究は、多くの関係者の協力なしには一切、実現できるものではなかった。関係者全員に感謝申し上げます。また、この本の取材・構成を担当してくださった飯田一史さん、集英社学芸編集部次長の佐藤絵利さんに感謝申し上げます。

２０２３年　５月

石黒　浩

石黒 浩　いしぐろ ひろし（ロボット工学者／大阪大学教授）

1963年、滋賀県生まれ。
ロボット工学者。大阪大学大学院基礎工学研究科システム創成専攻（栄誉教授）、ATR石黒浩特別研究所客員所長（ATRフェロー）。遠隔操作ロボットや知能ロボットの研究開発に従事。人間酷似型ロボット（アンドロイド）研究の第一人者。2011年、大阪文化賞受賞。2015年、文部科学大臣表彰受賞およびシェイク・ムハンマド・ビン・ラーシド・アール・マクトゥーム知識賞受賞。2020年、立石賞受賞。

著書に『ロボットとは何か―人の心を映す鏡』（講談社現代新書）、『ロボットは涙を流すか―映画と現実の狭間』（PHPサイエンス・ワールド新書）、『人と芸術とアンドロイド―私はなぜロボットを作るのか』（日本評論社）、『〝糞袋〞の内と外』（朝日新聞出版）、『どうすれば「人」を創れるか―アンドロイドになった私』（新潮文庫）、『アンドロイドは人間になれるか』（文春新書）、『ロボットと人間―人とは何か』（岩波新書）、哲学者・鷲田清一との共著『生きるってなんやろか？―科学者と哲学者が語る、若者のためのクリティカル「人生」シンキング』（毎日新聞社）、科学者・池上高志との共著『人間と機械のあいだ―心はどこにあるのか』（講談社）など多数。

取材・構成／飯田一史
撮影／五十嵐和博
イラスト／三品太智
ブックデザイン／宮坂 淳　（ snowfall.inc ）

アバターと共生《きょうせい》する未来社会《みらいしゃかい》

二〇二三年六月三〇日　第一刷発行

著　者　石黒《いしぐろ》　浩《ひろし》

発行者　樋口尚也

発行所　株式会社　集英社

〒一〇一-八〇五〇　東京都千代田区一ツ橋二-五-一〇

編集部　〇三-三二三〇-六一四一

読者係　〇三-三二三〇-六〇八〇

販売部　〇三-三二三〇-六三九三（書店専用）

印刷所　凸版印刷株式会社

製本所　株式会社ブックアート

ISBN978-4-08-786136-5　C0095